サクリファイス▼目次

サクリファイス

静かだと思った。

日本語とフランス語の入り混じった怒声と、近づいてくるヘリコプターの音や、オートバイのエンジン音。耳許《みみもと》でだれかががなり立てているのに、なにもぼくの心には響かない。

熱で溶けたアスファルトに、少しずつ赤い血が広がっていく。

あらぬ方向に曲がった首と、ぴくりとも動かず投げ出された手。

茫然《ぼうぜん》と立ちすくむ人たちの上で、空だけがさっきまでと変わらず青い。

教えてほしい。

どこからやりなおせば、この結果を避けられるのだろう。後悔せずに済むのだろう。

第一章　チーム・オッジ

かちり、とシューズがビンディングペダルにはまった。

こぎ出す瞬間は、少し宙に浮くような、頼りない感覚。だが、それは二、三度ペダルを回すだけで消える。

ホイールは、歩くよりも軽やかに、ぼくの身体《からだ》を遠くまで運ぶ。サドルの上に載った尻《しり》など、ただの支えだ。緩やかに回すペダルと、ハンドルで、ぼくの身体は自転車と繋《つな》がる。

この世でもっとも美しく、効率的な乗り物。

最低限の動力で、できるだけ長い距離を走るために、恐ろしく計算され尽くした完《かん》壁《ぺき》なマシン。これ以上、足すものもなく、引くものもない。空気を汚すことすらないのだ。

自転車の中でも、より速く走るためだけに、ほかのすべての要素をそぎ落としたのが、ロードバイクだ。

少し、速度を上げて、ぼくは先を走るチームメイトに追いついた。

縦一列のフォーメーション。息が切れないほどの速度で、長時間走るというトレーニングである。レースのとき、自転車の上で過ごす時間は五時間以上、それに身体を慣らさなければならない。

前を走るチームメイトとの距離は、十センチほどしかない。競技として自転車に乗り始めたときは、この短い間隔が怖かった。前方がよく見えないし、もし、先を走るだれかがブレーキでもかければ、ぶつかって落車してしまう。

慣れたとはいえ、今でも危険を感じないわけではない。集団で走ることに慣れた選手は、急にブレーキをかけたりはしないが、かといって、パンクや、足がペダルから外れるなどというアクシデントは避けられない。

だが、こうすれば、空気抵抗は大きく軽減され、半分以下の力で走ることができるのだ。レースでは、いかに勝負所まで力を溜《た》めるかが、重要である。

もちろん、その分、先頭の選手は空気抵抗をひとりで引き受けることになる。だから、トレーニングだけではなく、レースの最中、相手がライバルだとしても、順番に先頭交代をするのがマナーだ。ロードレースが、ヨーロッパでは紳士のスポーツと言われる所以《ゆえん》である。

しかし、その紳士のスポーツは、一方で、この世でもっとも過酷なスポーツとも呼ばれる。

世界でいちばん有名なレースであるツール・ド・フランスでは、三週間にわたって、一日百五十キロ以上の距離を走り続け、その間、何度も峠を越える。総走行距離は三千キロを越え、高低差は富士山を九回上り下りするのに匹敵する。しかも、二日ある休養日を除けば、一日たりとも休むことは許されない。休んだ時点で、リタイアとなる。

もっとも、日本で走っている限りは、そんなグラン・ツールに出場する機会などない。ぼくが所属しているチーム・オッジが走るのは、実業団などのワンデーレースが多い。日本で開催されるステージレース——数日間にわたって走り、一日ごとの成績だけではなく、総合成績も競うレース——も存在するし、年に何度かは海外へも遠征に行く。だが、それもコンチネンタルサーキットというランクのレースにしか出られない。上のランクであるコンチネンタル・プロですら難しいのに、グラン・ツールなんて夢でしかない。

世界と日本の壁は、未《いま》だに厚い。

ふいに、前を走っていた伊庭和実《いばかずみ》がちらり、こちらを見た。その目配せの意味がわからず、きょとんとしていると、今度は口に出して言われた。

「前、行けよ」

見れば、伊庭の前にはもう選手はいない。先頭に出ろということだろう。

ぼくは苦笑しながら、ペダルに力を込めた。伊庭はそのまま後ろにまわった。

急にペダルが重くなる。集団の後方にいるときは、ほとんど力を入れなくても進んだのに、今は自分から力を入れなければ進まない。

トレーニングのときは、隊列の先頭にいるものが疲れたら最後尾にまわり、代わりに二番目の選手が、次に先頭を引く、という形で、ローテーションが行われる。

伊庭は、これを嫌っている。トレーニングであろうと、無駄な力は遣いたくないというのが彼の本音だろう。だからといって、早々に最後尾にまわると、先輩にどやされる。

たしか、伊庭の前を走っていたのは、チームのエースである石尾豪《いしおごう》である。普段は物静かな人だが、自転車のこととなると厳しい。ズルは見逃してくれないだろう。

だから、ぼくを先に行かせ、ぼくの後にほんのわずかだけ先頭を引いて、また最後尾に収まるつもりらしい。

だが、こうやって手を抜いているからといって、伊庭が単に怠惰《たいだ》なだけの選手というわけではない。

去年、ぼくと一緒にチームに入った新人で、まだ大学を卒業したばかりの二十三歳だが、実力はすでに、ベテランのチームメイトを追い越して、石尾さんの次の位置にいる。

いや、石尾さんは峠を得意とするクライマーだから、純粋に平坦《へいたん》での瞬発力ならば、伊庭の方がずっと上だ。去年も、二度、レースで優勝している。

外見と中身がこれほど正反対な男も珍しい。癖毛だという、くるくるとあちこちに跳ねた髪は、童顔の伊庭をもっと幼く見せている。初対面の人は、穏やかで優しそうな男だと思うはずだ。だが、口を開けばその印象はあっという間に反転する。大人しげな外見と、辛辣《しんらつ》な口調、そのギャップのせいか、必要以上に敵を作っている気がした。

伊庭が、チームメイトから冷たい扱いを受けている理由の半分は、彼の性格ゆえだが、半分は嫉妬《しっと》もあると、ぼくには思える。

そんなことを言うと、おまえはどうなのだ、と言われるかもしれないが、ぼくは嫉妬などしない。

伊庭がぼくよりも優れた選手であることは疑う余地のない事実だ。

そして、人にはだれでも、適所というものがあるのだ。

トレーニングが終わった後、チームのガレージで自転車を洗った。

チーム・オッジの母体は、国産自転車フレームメーカーだ。部品のメーカーもスポンサーに付いていてくれるから、機材にだけは不自由しない。

会社から派遣されているメカニックもいるが、トレーニングにまでつきっきりでいてくれるわけではない。終わってからの簡単なメンテナンスは、選手自身でやることになる。

伊庭などは、軽く汚れを拭《ぬぐ》っただけで、とっとと帰ってしまった。プライベートでは、チームから与えられた自転車ではなく、タイムのカーボンフレームを、最高級パーツであるカンパニョーロのレコードで組んだ自転車に乗っているという噂《うわさ》だから、チームの自転車に、まったく愛着はないようだ。

ホイールを外し、スプロケットの間にたまった泥をスポンジで洗い流す。ついでに、タイヤに小さな傷がついていないか、丁寧に点検した。

自転車用に整備されたトラックを走るわけではないから、パンクは日常茶飯事だが、へたをすれば事故に繋がることもある。未然に防げるのなら、防いでおきたい。

ブレーキの汚れも拭い、ついでにシューの消耗もチェックする。

今日は天気がよかったから、タイヤ以外はあまり汚れていない。それでも儀式のように濡《ぬ》れたスポンジでペダルを拭っていると、自転車の上に人影が差した。

振り返ると、赤城《あかぎ》さんが立っていた。

チーム最年長の三十六歳、髪を剃《そ》り上げて、丸い眼鏡をかけた容貌《ようぼう》は、一見、スポーツ選手には見えないだろう。もちろん、サラリーマンにも見えない。たとえるなら前衛芸術家といった雰囲気だ。

経験を積んでいるだけあって、チームのムードメーカー的存在である。道化のようにおちゃらけて空気を盛り上げるのではなく、さらりと、ささくれた空気を和らげるようなことばを口に出す。

もちろん、ぼくたち新人にとっては、怖い先輩であることには違いはないのだが、それでも石尾先輩などと話すよりは、ずいぶん気楽である。

「丁寧だな」

赤城さんは、上からのぞき込むように、ぼくの作業を見下ろした。

「性分なんです」

そう答えて、一度、スポンジをバケツに戻して、立ち上がった。たぶん、ただ声をかけただけではなく、ぼくに言いたいことがあるのだろう。

予想は当たった。赤城さんは、苦い顔で言った。

「チカ、伊庭をあまり、甘やかすな」

どうやら、今日の伊庭の行動は先輩たちにもばれていたようだ。

一応弁護を試みてみる。

「体調のいいものが長く引けばいいと、以前監督に言われていたので……。ぼくも今日は調子がよくて、前に出て走りたかったし」

斎木《さいき》監督は、昔の体育会系にありがちな根性論者ではない。ロングライドのためのトレーニングに無理は禁物だ。たとえ、新人であっても、体調が悪ければ先頭交代に参加しなくてもいいと言われていた。

「それはそうだが、あいつは目に余る」

赤城さんは、唾《つば》を吐くようにそう言った。

「一昨日も、江口に同じように代わってもらっていた。チームの士気に関わる」

「わかりました。すみませんでした。次から気をつけます」

そこまで伊庭を弁護してやる義理もない。ぼくは素直に頭を下げた。

赤城さんは、プラスティックのスツールを引き寄せて、その上に腰を下ろした。目でぼくに、洗車を続けるように合図する。

「あいつ、まるで、ペタッキか、チポッリーニ気取りだな。チームメイトに囲まれて大事にされて当然だと思っているのか」

彼の口から、イタリアの最強スプリンターの名前が出て、ぼくは少し笑った。

「山になると、とたんにへたるあたりも同じですね」

「笑い事じゃないぞ」

そう言いながらも、赤城さんの口許《くちもと》も笑っている。だが、すぐに暗い表情になった。

「あいつが単なる怠け者なら、ここまで心配しない。だが、あいつは怠けているんじゃない。天狗《てんぐ》になっているんだよ」

それについては、反論もあるが、あえて黙っている。

「このままじゃ、そう遠くないうちに、あいつ、豪とぶつかるぞ」

石尾豪。チーム・オッジのエースであり、日本を代表する自転車選手でもある。三十三歳という年齢は、スポーツ選手にしては高めだと思えるが、経験や駆け引きが重要なロードレース界では、まさに脂《あぶら》ののりきった年齢といえる。

オッジに入る前から、ぼくも名前は知っていた。大学の自転車部でレースに出たとき、一緒に走ったこともある。

だが、同じチームに入って、自転車を降りた彼が、あまりに小柄で華奢《きゃしゃ》なのに驚いた。身長は一六二センチ、Sサイズのジャージすら、大きく見えるほど細い。だが、ただ細いのではなく、ふくらはぎなどにはしなやかな筋肉がしっかりとついている。自転車選手には、無駄な筋肉はむしろただの錘《おもり》だ。彼のようなヒルクライマーならなおさら。

一見貧弱に見える低い身長と軽い体重は、山を上るときに大きな武器となる。平地ではなにも感じない自分の体重が、坂道ではそのまま負荷となって、ペダルと心臓にのしかかる。

規定された自転車の最低重量は六・八キロ。体重五二キロの石尾先輩と、一七〇センチ六〇キロのぼくでは、ぼくが自転車一台分、余分な負荷を抱えて上らなければならないことになる。

普段は無口で、ほとんど喋《しゃべ》らないし、笑うこともない。動作もどちらかというと、ゆっくりとしていて、あまりオーラも感じない。

だが、自転車に乗った瞬間に、彼は変わる。というより、坂を上りはじめた瞬間に変わるのか。

軽快に自転車を揺らすダンシング。お手本のようなフォームとは言い難いが、それでも最初から最後まで、ほとんど変わらないそのフォームで、彼は峠を上っていく。

そして、ほとんど執着といえるほどの、勝利への強い意志。

去年、山梨のレースでの出来事だった。たまたまその日、彼は調子が悪かった。先頭を走る数人に追いつくことができず、やや遅れて六番手ほどの位置で山道を上っていた。先頭とは、その日、追いつくことは無理だと思えるほどの差が開いていた。

そのとき、彼のタイヤがパンクした。ちょうど一緒に、ぼくや伊庭と同時期にチームに移籍した選手が走っていた。細い道で、チームカーがくるのに時間がかかることに気づいた彼は、その選手のホイールを外させて、自分のバイクにつけて、レースを続けたのだ。

少し遅れて追いついたぼくは、泣き出しそうな表情で立ちすくんでいるその選手を見た。

チームのエースがパンクすれば、エースをアシストするチームメイトはホイールを差し出す。それがロードレースの定石であるのは事実だ。

とはいえ、あのとき、石尾さんが五位に食い込んだとしても、それは彼にとってい い成績とは言えない。彼の実力では三位以内にいて当然なのだ。五位ならば、最下位であろうとたいして変わりはないと言えるだろう。

だが、その新人にとって、そのレースで上位に入れるかどうかは、今後の契約に関わる大きなチャンスだったのだ。それまで、まったく目立った活躍ができなかった選手だった。ぼくや伊庭と違って年齢も三十近くで、来年の契約も疑問視されていた。

チーム内でも、石尾はやりすぎだ、という声が出た。

ぼくの意見は違う。あの日、石尾先輩は、まだ勝利を諦《あきら》めていなかったのだ。たとえ、数分の差がついていても追いつける、追いつくつもりだったからこそ、彼のホイールを奪ったのだ。

その選手は、レースの後、自分からチームを去った。

石尾さんは彼に詫《わ》びることすらしなかった。

彼が辞めたのは石尾さんのせいかもしれない。でも、それがロードレースなのだ。

ぼくが思ったのは、また違うことだった。

あのとき、ぼくがもう少し頑張って、あの選手よりも少しだけ早く、石尾さんのそばまで追いついていたら、代わりにぼくのホイールを差し出すことができて、彼は辞めなくてもすんだかもしれない、と。

赤城さんは腕を組んで、もう一度繰り返した。このままでは、豪とぶつかる、と。

言い訳じみていると思いながら、ぼくは一応言ってみた。

「でも、石尾さんと伊庭では、選手としてのタイプがまったく違うでしょう。ぶつかりようがないんじゃないですか?」

伊庭が得意なのは、平坦でのゴールスプリントだ。一瞬の瞬発力と状況判断で、集団から抜け出しゴールを決める。石尾さんは、スプリントで決めるタイプではないし、反対に伊庭はヒルクライムでは後ろから数えた方が早い。

赤城さんは小さくためいきをついた。

「いいか、豪は自分以外のエースを認めないよ」

そしてまた繰り返す。絶対に認めない、と。

ぞくり、と背中に冷たいものが走った気がした。あの、無表情な石尾さんが感情をむき出しにすることがあるのだろうか。それとも、無表情のまま、なんらかの行動に出るのだろうか。

赤城さんの口調は、以前にも同じようなことがあったようにも聞こえた。

ぼくは、それを尋ねようとして口を開き、なにも言わないまま閉じた。

――赤城さん。石尾さんは、そんなときどうするんですか？

認めないという強い意志を、どうやって示すのだろう。

少しだけ、ほんの少しだけだが、わくわくするような高揚を感じている自分に気づいて、ぼくは心で苦笑した。同じチームとはいえ、しょせんぼくには他人事に過ぎない。

喋りすぎたことに気づいたのか、赤城先輩は柔らかく口元をほころばせた。

「悪い。伊庭のことはチカに言っても仕方がないな。同期とはいえ、さほど仲がよさそうなわけでもないしな」

「伊庭と仲がいい奴《やつ》なんていないですよ」

チームメイトのだれとも当《あ》たり障《さわ》りなく接するぼくと、彼はまったくタイプが違う。

洗車を終えた自転車を壁に立てかける。明日には乾いているだろう。スツールに座って後片づけをする。

話はすでに終わったと思っていた。だが、赤城さんの口から漏れたのは、意外なことばだった。

「伊庭のことはもういい。それより、おれが心配なのはおまえのことだよ」

「どうしてですか？」

なにかへまをやったのだろうか、と考えるが思い当たらない。

赤城先輩は、長い足を持て余すように、前へ投げ出した。

「チカはいったい、どんな選手になりたいんだ。石尾みたいなクライマーか？」

そう、山は好きだ。得意と言ってもいい。だが、質問への答えはイエスではない。

「ぼくは、赤城さんみたいなオールラウンダーになりたいです」

先輩の目が丸くなる。次の瞬間、ぼくが座っていたスツールを思い切り蹴《け》られた。

「おまえ、お世辞も度が過ぎると嫌みだぞ」

「お世辞のつもりはありませんよ」

山で実力を発揮するクライマー、平坦のゴールスプリントで力を出すスプリンター。選手のタイプは大きく分けるとこのふたつだが、どちらもそつなくこなすのが、オールラウンダーである。

赤城さんは軽く舌打ちをした。

「おまえな、おれみたいなのはオールラウンダーとは言わないんだよ。なにをやらせても中途半端《はんぱ》って言うんだよ」

「そうですか？　ぼくはそうは思いませんけど」

赤城さんは、なにか気持ち悪いものでも見るような表情で、ぼくを凝視した。

「おまえ、もしお世辞ではなく本当におれみたいになりたいと思うなら、相当いかれてるぞ」

ぼくは笑った。それに関してはノーコメントだ。


ぼくがロードレースと出会ったのは、十八歳のときだ。

当時、ぼくは陸上の中距離走をやっていた。自慢ではないが、インターハイで一位になったばかりで、次のオリンピックも狙《ねら》えると言われていた。藤代《ふじしろ》高の白石誓《しらいしちかう》と言えば、高校陸上界でそこそこ知られていた。

だけど、走ることはぼくにとって苦痛でしかなかった。両肩にずしりと重しを載せられて、それを振り落とすために走っているような気分だった。だが、どんなに必死で走っても、重しを振り落とすことはできない。徒《いたずら》に記録がよくなるだけだ。

そして、その記録はよけいにぼくを走ることに縛り付けた。やめたいと言ってもだれも取り合ってはくれないのだ。

やめることは、コーチや両親や友達などの期待や応援も裏切ることになる。そうやって、まわりの人を傷つけてまで、ほかにやりたいこともなかった。だから、ぼくはひたすらに走っていた。

そんなとき、ぼくは自転車レースと巡り合った。

深夜に何気なくつけたテレビで、一面の向日葵《ひまわり》畑を走る自転車の映像が流れていた。きれいだな、と最初に思った。もちろん、知識として、自転車ロードレースとかツール・ド・フランスなどというものが存在することは知っていた。

子供の頃から自転車は好きだったし、やたらに重い安物のマウンテンバイクも持っていた。だが、それは歩くのには少し遠いところに行くための道具でしかなかった。

テレビに映っていた自転車は、街を走っている多くの自転車とはまるで違っている。ロードレーサーとか、ロードバイクという名前は知っているが、まじまじと見たのははじめてだった。

ぽきりと折れそうなほど細いフレームとタイヤ。それは恐ろしいほどのスピードで平地を走り抜けていた。ぼくのマウンテンバイクでは、あんなスピードは出ない。

レースの展開は見るうちにわかってきた。どうやら、集団の中からふたりの選手が飛び出して、先行している。実況解説の話では、どうやら今日の優勝は、このふたりのどちらかに間違いないようだった。

選手はずっとふたりで走っていた。青いジャージを着た選手が前を走り、後ろにぴったり黒いジャージの選手が続いている。

なぜか、その黒いジャージの選手は青いジャージの選手の後ろから動こうとはしなかった。お互い少しでも、自分が先にゴールしようと思っているのなら、抜きつ、抜かれつ、で進んでいってもいいようなものだが。

青いジャージの選手はときどき振り切ろうとするかのようにスピードを上げるが、黒いジャージの選手はそれについてきてしまう。なのに前に出ようとはしないのだ。

すぐにその理由に気づいた。

マラソンでも空気抵抗というものがある。黒い選手は空気抵抗を避けて、力を溜《た》めているのだ。

レースの結果はもうわかった。ぼくは少し興味を失って、ソファに沈み込んだ。力を温存している黒い選手の方が有利なはずだ。

それにしても、不思議なのは、利用されていることを知りながら、前を走り続ける青い選手だ。空気抵抗のことすら知らないほど愚かなのか。

ゴールまで残り一キロを切っても、その態勢は変わらなかった。解説者も、いつ、黒い選手が飛び出すかばかりを気にしていた。

それは、残り五百メートルを切ったときに起こった。黒い選手が、後ろから速度を上げて、青い選手に並んで、なにかを言った。

ふたりはがっちりと握手をした。

次の瞬間、飛び出したのは、疲れているはずの青い選手だった。ぐんぐん速度を上げて、黒い選手を引き離し、たったひとりで両手をあげて、ゴールへと飛び込んだ。

興奮する実況アナウンサーの声と、ゴールにいる人々の歓声が彼を包む。

少し遅れて、黒い選手もゴールインし、拍手と歓声に包まれていた。

ぼくは、ぽかん、と口を開けたまま、テレビを眺めていた。

いったい、何が起こったのかわからなかった。ぼくには、勝てるはずなのに、黒い選手が勝負を投げたようにしか見えなかった。でも、どうして。

八百長《やおちょう》にしてはあまりにもあからさまだ。

不思議なのは、こんなにあからさまに、勝負を捨てて取引のようなものが行われたのにもかかわらず、表彰台のまわりからは勝利を祝う歓声が上がり、アナウンサーたちも当たり前のように勝者を賞賛していたことだ。

そして、アナウンサーたちは黒い選手のことも褒め称《たた》えていた。勝てる勝負を捨てたのに。

どう考えても納得がいかない。ぼくはテレビを消して立ち上がり、自室でパソコンを立ち上げた。

インターネットの自転車ロードレースファンが集まる掲示板を検索で探し、そこにアクセスする。

掲示板では、やはり先ほどのレースの結果で盛り上がっていた。疑問を呈する声はまったくなく、むしろ、「感動した」だの「いいレースだった」だのと言われていた。

ぼくは、半分怒りのような感情を覚えながら、掲示板に書き込んだ。あれは、八百長とは違うのか、いったいどうして、黒い選手は勝てるレースを投げたのだ、と。

返事はすぐにいくつも書き込まれた。

初心者であるぼくを、からかうような書き込みもあったが、ひとりが丁寧に教えてくれた。

ロードレースにはエースとアシストという役割分担があるのだ、と。

個人競技に見えるが、実は団体競技に近く、ひとりひとりが勝利を目指すのではなく、アシストの選手はエースを勝たせるために走る。その結果、自分の順位を下げることになっても。

今日のレースで、青い選手は自分がステージ優勝を目指すために走っていた。だが、黒い選手は、後ろの集団にいる自分のエースのため、ひとり飛び出した青い選手のことをマークする目的でついていったのだ。彼のチームのエースは総合でトップの位置にいた。

ゴール近くなっても、チームのエースは先頭のふたりに追いつくことができなかった。黒い選手のゆさぶりで、総合成績が変動するほどの差もつかなかった。もちろん、その時点で、黒い選手が優勝を目指すこともできた。そうしても、ルールとしては問題はないが、決してフェアな勝負ではない。

黒い選手はこう考えたはずだ。

自分はアシストとしての仕事をまっとうした。だが先頭交代をしなかった自分に勝利の資格はない、と。

だから、最後の五百メートルで並んだ瞬間に、そう言ったのだろう。

青い選手は全力で走り、実力で勝利をつかんだ。

黒い選手はチームのために走り、そして、最後にフェアであることを選んだ。

だからこそ、ふたりともが称えられているのだと、その人はぼくに教えてくれた。

ぼくは、礼を書き込むのを忘れて、ぼんやりとパソコンの画面を眺めていた。

あの瞬間、行われたのは取引とかそういうものではなかった。勝利というものの尊さ、敵である相手を賞賛する気持ち、そして自分の胸に抱いた誇り。

黒い選手は、記録の上では勝者ではない。だが、彼は勝者と同じくらい誇らしい気持ちで、ゴールへと飛び込んだはずだ。

背筋がぞくり、とした。ぼくはすっかり乾いてしまった唇を舌で湿した。

この世界ならば、肩の重しを振り払って走ることができる。そう思ったのだ。

そう思ったからといって、実際に自転車ロードレースの選手になれるかどうかは、わからなかった。

そのとき、ぼくはすでに十八歳だった。たとえば、今から野球選手やサッカー選手になるのは絶対に無理だ。

だが、調べてすぐにわかった。自転車は技術的には、それほどハードルの高いスポーツではない。必要なのは、心肺機能と、足の筋肉の持久力と瞬発力。そして、駆け引きと戦略だ。

ツール・ド・フランスで七連勝という驚異的な記録を打ち立てたランス・アームストロングが自転車を本格的にはじめたのは、ぼくと同じ十八歳のときだ。それを知ったときは、鳥肌が立った。それまでも、他のスポーツで活躍して、身体《からだ》はしっかり作っていたようだが、それならぼくだって同じである。

それから一週間も経《た》たないうちに、自転車ショップに駆け込んで、ロードバイクを買っていた。

陸上で推薦が決まっていた大学を蹴って周囲を驚かせ、自転車部の強い大学に入った。

そして、大学を卒業すると同時に、スカウトされてチーム・オッジへと加わったのだ。

大学では、二年のときから実質チームのエースだった。だが、それでいい気になることなどできなかった。この狭い世界から出れば、自分よりも強い選手がたくさんいるはずだから。ぼくの目的はただ勝つことではなく、もうひとつ上のステージへあがることだ。

そして、ぼくの予想は当たっていた。

チームには石尾さんと伊庭がいる。ぼくは、彼らにはどうやってもかなわない。

だが、そう思うことは決して不快ではないのだ。

玄関を開けたとき、ちょうど携帯が鳴った。

靴を脱ぎながら、電話に出る。

「よう。もう帰ったか」

携帯から聞こえてきたのは、伊庭の声だった。

一応、電話番号はお互い教え合っているが、今まで電話がかかってきたことなどない。ぼくは不審に思いながら、メッセンジャーバッグを床に置いた。

「ああ、今帰ってきたところだけど」

「明日、空いているか？ 走りに行かないか」

明日はオフだ。特に用事はなく、映画でも観《み》ようかと思っていた。

伊庭からこんな誘いを受けたことはないが、断る理由も別にない。ゆっくり休まなければならないほど疲れているわけでもない。

「ああ、いいよ」

「じゃあ、明日朝七時に、おまえの近所まで迎えに行く。家教えろよ」

少し驚きながら、ぼくは自宅の場所を教えた。「迎えに行く」ということばは、伊庭らしくなかった。「迎えにこい」と言われたら、ムッとはしても納得しただろうが。

かかってきたときと同じ唐突さで、携帯は切れた。

ぼくは、上着も脱がずにベッドに横たわった。

いったい、伊庭はなにを考えているのだろう。トレーニングに手を抜くかと思えば、休みの日まで自転車に乗ろうと誘ってくる。

——石尾は、自分以外のエースを認めないよ。

赤城さんが言ったことばが頭に浮かぶ。そして、思う。面倒だな、と。

ぼくは別に伊庭と親友というわけではないし、石尾さんに心酔しているわけでもない。ただ、チームが決めたエースを助けて走るだけだ。それが石尾さんでも、伊庭でも。

野次馬的興味がないわけではないが、だれかのくだらないプライドのせいで、チームががたがたになるのが、いちばん困る。

そこまで考えて、ぼくは苦笑した。考えすぎだ。

今は、実際になにも起こっていない。斎木監督は、最近では伊庭向けのコースのときは、彼をエースとしてメンバーを決めることだってあるが、それに対して石尾さんが不快そうな素振りを見せたり、文句を言ったりしたことはない。内心、どう考えているのかはともかく、彼はあくまでも大人である。

もっとも、それは小さいレースだ。大きなレースで、伊庭が中心になったときに、事態は変化するのかもしれない。

だが、今のところ石尾さんは、そこまで攻撃的なタイプだとは思えないのだ。

赤城さんは、もう七年以上石尾さんの忠実なアシストとして働いている。七年といえば、ぼくが自転車に乗り始めてからの期間より長い。

だから、石尾さんのことはだれよりもわかっている一方で、彼のストレスに必要以上に敏感なのかもしれない。

アシストは、勝利をエースに託している。

自分が必死で働いても、最後にエースがやる気になってくれなければ、すべて無駄なのだ。

伊庭はどう考えているのだろう。少なくとも、彼がアシストに徹するつもりなどないことは、聞かなくてもわかる。

ただ、石尾さんを蹴落《けお》として、チーム・オッジのエースになるつもりまではないような気もするのだ。たぶん、成績を上げて、よそからの引き抜きを待っているのだと思う。

——ま、そんな大したことは起こりそうにないな。

自分を納得させるためのような気もしたが、一応、そう考えておく。

きっと、こんなことはどこのチームでもあることだ。


翌朝、自転車に空気を入れていると、伊庭から電話がかかってきた。今、下の駐車場にいるという。

ぼくは、自転車を担《かつ》いで、玄関を出た。うちのマンションは、エレベーターに自転車を乗せることは禁止されているから、ぶつけないように細心の注意を払って階段を下りた。

駐車場に出て、伊庭を捜す。だが、人影はない。不審に思っていると、いきなり車のクラクションが鳴った。

前方に停まっていたミニバンから伊庭が降りてきた。まさか、車できているとは思わなかった。

「載せろよ」

ミニバンの後部を開けて、ぼくを促す。

見れば、そこには、デローザのバイクが載っている。タイムと聞いたのは、単なる噂《うわさ》だったのか、それともほかにも持っていたのか。

伊庭は、ホイールを外すぼくを見守っていた。

「今時、クロモリとはね」

クロモリ――クロム・モリブデン鋼で作られたフレーム。鉄製なので、アルミやカーボンには重量の面で劣り、レース用で使われることはない。だがハイテク素材にはないしなやかさがあり、今でもこのフレームにこだわる乗り手も多い。

乗り心地もさることながら、素材が強いのでフレームやフォークを細くすることができるところも気に入っている。アルミやカーボンで、これほど細いフレームを作れば、折れてしまう。

ふだんはチームの自転車に乗っているが、ふいに昔乗っていたこの自転車で走りたくなったのだ。

後部に自転車を載せてしまうと、伊庭は運転席に戻った。ぼくも助手席に座る。

車は駐車場を出て、走り始める。

「どこに行くんだ？」

てっきり自転車で行ける場所だと思っていた。たかがトレーニングで、車で自転車を持ち運ぶことなどない。

「暗峠《くらがりとうげ》」

返ってきた答えに少し驚いた。一般人は近くの人しかその地名を知らないだろう。奈良と大阪の県境にある、自転車好きにとっては有名な峠である。有名なのは、そこが恐ろしいほどの急勾配《きゅうこうばい》だからだ。

「上ったことあるか」

「ああ、大学のとき、何度か」

一度足を付いてしまえば、もう二度と自転車に乗って漕《こ》ぎ出すことはできないほどの急勾配。わずか二キロほどの距離だが、最高勾配は二十五パーセントを超えると言われている。普通の人ならば、自転車で上ろうとすら思わないだろうが、世の中にはそんな坂を自転車で征服することに、喜びを感じる人間だっているのだ。そして、ぼくも坂は決して嫌いではない。

プロになってからはわざわざ行こうとは考えなかったが、学生の頃は何度も上った。

「でも、伊庭は坂が嫌いだと思っていたよ」

「嫌いだよ」

間髪入れずに伊庭はそう言いきった。

「嫌いだからやるんだよ」

ぼくは、思わず彼の顔を見た。見られていることには気づいていないようで、彼の目はフロントガラスから離れない。

「考えてもみろ、純粋スプリンターが活躍できるレースがどれだけある。日本じゃどこに行っても、高低差がある。途中の坂道で少しでも遅れてしまえば、それで終わりだ。飛び出して、逃げ切って勝負を決めるのにも、登坂力は絶対に必要だ。それに、ツールやジロを見てみろよ。結局表彰台に上がるのは、山が得意な奴《やつ》らばかりだ。スプリンターが、いくらボーナスタイムを取ったところで、結局山でタイム差をつけられてしまうんだよ」

「そんなレースに出ることなんかないだろう」

笑ってそう言ったぼくに、彼は動じることなく答えた。

「わからないだろう。絶対ないなんて言えないさ」

たしかに今は、以前と比べてヨーロッパのレースで走る日本人も増えてきた。だが、今までそんなグラン・ツールで走った日本人選手はたった数人に過ぎないのだ。

それなのに、伊庭の前向きさには恐れ入る。

「ともかく、山で一位を取りたいというんじゃない。最終的に勝負するのはスプリントでも、上りで大崩れするのは避けたい。だから、練習したい。それだけだ」

彼は、ぼくではなく、見えないだれかに語っているように話し続けた。

「だいたい、おれだって体格的にハンデがあるわけじゃない。石尾さんほどではないが、白石よりも身長は低い。体重だってそう変わらないさ。だから、山でも走れるはずだ」

ぼくは黙って、それを聞いていた。

実際には、体格だけではなく、心肺機能なども山を制するためには必要だ。だが、むしろスプリンターの方が才能が必要だと聞いたことがある。努力して、スプリント能力を上げようとしても難しい。それならば、まだ登坂能力を鍛える方が容易《たやす》いのだ、と。

「白石を誘ったのは、おまえが若手の中では、山でいちばん走れるからだ。そのコツを盗みたい」

「そりゃ、どうも」

あまりにストレートな言い方に、ぼくは苦笑した。

暗峠の近くに到着する。駐車場に車を停めて、コンビニで、補給食としてアンパンや羊羹《ようかん》、ゼリー飲料などを購入した。

一日中自転車に乗って走るのに必要なカロリーは、五千キロカロリー前後。それをきちんと補給することも、自転車選手にとっては必要である。特に糖分は、素早くエネルギーになる。昔は甘いものはさほど好きでなかったぼくだが、自転車に乗るようになってからは、頻繁に食べるようになった。欲しいからではなく、必要だからだ。

車から自転車を降ろす。ぼくは、自転車にまたがる伊庭をまじまじと見た。

「なんだよ」

「いや、やはりいきなり暗峠は無謀じゃないか。ここから十三峠《じゅうさんとうげ》はそんなに遠くないから、あっちを走った方が……」

「いやだね」

即答である。なら、勝手にしろ。そう思って、ぼくは先にペダルを漕ぎ始めた。

だが、ひさしぶりに暗峠を上るのも悪くない。プロになってからは、そんな無茶をして、足に乳酸を溜《た》める必要はないと思っていたが、いざ上るとなると、心がざわめく。

もちろん、チームでも登坂力をつける練習はある。だが、それはきちんと計算されたプログラムだ。適度な勾配の山を、無酸素運動になる領域の手前の心拍数で、十分上り、そしてまた平坦《へいたん》を走る。それを繰り返すのがメインで、やたらに急勾配に挑戦するというわけではない。

暗峠に入ると、いきなり道が狭くなる。鬱蔥《うっそう》とした木々が両側から覆《おお》いかぶさってくるようだ。ぼくはギアをインナーに入れ、ダンシングを始めた。

軽い坂でもダンシングの石尾さんと違い、ぼくはサドルから腰を浮かさないシッティングで上るスタイルの方が好きだ。腰を浮かせるダンシングは、いざというときに取っておく。だが、暗峠にはそんな普段のやり方など通用しない。ダンシングで進まなければ、自転車ごと倒れてしまいそうだ。

まだ、一、二分ほど走っただけなのに、後ろでぜいぜいいう声が聞こえた。振り返ると、伊庭が荒い息でついてきている。

「無理するなよ」

息が荒くなるということは、無酸素運動になったということだ。同時に心拍数も限界に近くなる。

「まだ先は長いから、ゆっくり行けよ」

伊庭は首を横に振った。頑固な男だ。ぼくはわざと、ギアを一時的にアウターに入れ、スピードを上げた。

さすがにこれほどの急勾配だから、あっという間に引き離すというわけにはいかないが、少しずつ伊庭との距離が離れていく。

嫌がらせでやっているわけではない。ぼくから完全に遅れてしまった方が、彼自身のペースが保てるだろう。

伊庭がすっかり見えなくなってしまうと、ぼくはやっと峠に向き合う気分になった。急なだけではなく、道がかなり狭いから、後ろから車がやってくれば、降りて避けるしかない。それもこの峠が難所である理由のひとつだろう。下手なところで降りてしまえば、自転車を漕ぎ出すことすらできない。

すでにギアはいちばんインナーに入っている。普段なら、本当に苦しくなったときのため、どんなきつい勾配でも一枚重いギアをつかうようにはしているが、ここではそれも無理だ。

この坂の場合、疲れを最低限に抑えられた人間が勝ちである。わざと無理をせず、ゆっくりと進んでいく。なるべく心肺機能を酷使せず、なるべく足に乳酸を溜めないように。

だが、無情にも息は少しずつ上がっていく。ハートレイトモニターは今日は持ってきていないが、たぶん、最大心拍数の九十パーセントを超えているだろう。

苦しい。だが、一方で爽快感《そうかいかん》があるのも事実だ。自然という大きなものに痛めつけられる、マゾヒスティックな快感。それを感じつつ、ぼくはひたすらペダルを踏む。

普段走っている速度とは、比べものにならないほどゆっくりだ。たぶん、時速は七、八キロ。普段なら信号で止まっても、平均三十から四十は出す。レースなら五十は軽く超える。

額から汗が滲《にじ》む。ぼくはヘルメットを脱いで、ハンドルにかけた。この速度ならば、落車しても大した怪我《けが》はしない。

いちばんきつい九十九折《つづらお》りを抜けると、勾配がゆるくなる。ここから先は、今までのことを思うと楽勝と言っていい。

ギアをひとつ重くして、スピードを上げる。これでも、普通に考えればかなりの坂である。

狭い道を上り続けて、やっと峠へとたどりついた。時計を見ると、だいたい十五分くらいで上ったことになる。学生の頃は二十分以上はかかっていたように思うから、やはりプロになって力がついたということだろう。

頂上で、伊庭を待っているつもりだったが、ふいに気が変わった。一度、奈良側に下って、またそこから上ってきて、伊庭を驚かせてやろう。奈良側の方は、大阪側ほど勾配はきつくない。

汗を拭《ぬぐ》い、ウインドブレーカーを羽織る。下りは風で身体《からだ》が冷えるから、防寒はかかせない。

そして、また自転車にまたがる。

たぶん、石尾さんみたいな天性のクライマーは、上ること自体に喜びを感じるのだろう。だが、ぼくは違う。上りも好きだが、それ以上に下ることが気持ちいい。

まだ小学生だった、自転車に乗れるようになった頃から、それは変わらない。

プロの自転車乗りは、下りを嫌う人も多い。一般人が、上り坂を苦しいと感じ、下りを爽快だと感じるのと、少し違う。

上りなら、たとえどんなに足と心臓に負担がかかっても、致命的な怪我をすることはない。だが、下りは常に危険と隣り合わせだ。コーナリングは特に危険で、わずかな体重のかけ方の違いで、クラッシュしてしまうことだってある。

しかも、スピードが出ているだけあって、すぐに大きな事故に繋《つな》がる。

ぼくも、理屈ではわかっている。

だが、未《いま》だに小学生のころ、長い坂を下ったときと同じ気分がどうしても抜けない。

練習では、チームメイトたちと一緒に走るから、自分だけのペースで好きなように下ることはできない。ひさしぶりに解放感のある下りだった。

上りはあれほど苦労したのに、下りはあっという間だった。しょせんは三キロに満たない坂だ。

ぼくは自転車を降りて、補給を摂《と》ることにした。アンパンを囓《かじ》っていると、伊庭が下ってくるのが見えた。

少し驚く。伊庭の登坂能力を考えると、当然もっと時間がかかるものだと思っていた。

彼はぼくのところまで走ってくるとヘルメットを脱いだ。

下りで回復したのか、さほど息も切れていない。前髪がちりちりに巻いているのが、わずかな奮闘の跡だった。汗をかくと、彼の癖毛はよりひどくなる。

「ありえねえよ、こんな坂」

憎々しげに、伊庭は今降りてきた坂道を見上げた。ぼくは笑った。

「満足だろ」

激坂《げきざか》だと聞いたからここまで車でやってきたのだろう。ならば、目的達成だ。

半分嫌がらせのつもりで言った。

「どうする？　駐車場まで戻るには、もう一度これを上らないとならないんだけど」

「そんなこと、下った時点でわかってるさ」

伊庭は当然のようにそう答えた。

食べ終えたアンパンの袋を丸めてサドルポケットに入れた。ふと、顔をあげると伊庭がなにか奇妙なものでも見るかのように、ぼくを見下ろしていた。

「なんだよ」

「おまえさ、いつもあんな下り方するわけ？」

その質問の意味はすぐにわからなかった。伊庭がぼくの下りを見られたはずはない。彼が下ってきたのは、ぼくより五分も後である。

ぼくの疑問に気づいたのだろう。彼はにやりと笑った。

「頂上で、白石の姿が見えた。声をかけようとしたけど、すぐに下っていってしまった」

それを聞いて驚いた。

ぼくは頂上で、二分ほど汗を拭《ふ》いたり、休んだりしていた。それと、最終的な五分のタイム差。トータルで、伊庭は七分ぼくに遅れたと思っていたが、もし頂上でぼくに追いついていたのなら少ししか遅れていなかったことになる。残りは、下りでついたタイム差だが、レースではないし、慎重にゆっくり下ることは別に悪いことではない。もともと、伊庭は下りもそこそこ得意である。

「すごいじゃないか。そこまで上れるなんて」

だが、伊庭は苦々しげに首を振った。

「まだ、おまえの方がずっと速い」

だが、ぼくは山が得意で、伊庭は苦手なタイプの選手である。それを考えれば、かなりの好タイムだ。

これならば、伊庭は本当に、チームのエースになってしまうかもしれない。飛び抜けたスプリント能力を持ちながら、山でも大崩れしない。だとしたらまさにオールマイティだ。

伊庭は今度は自分から自転車を漕《こ》ぎ出し、坂を上りはじめた。

それに続きながら、ふいに気づく。彼が、ぼくの下りを見てなにを考えたのか、聞きそびれてしまった。

まあいい。きっと別に大したことじゃない。

翌日、空は分厚く、重い雲に覆われた。

雨が降らなければいいが、と思いながら、ぼくはチームハウスへと出かけた。

予定では、今日は勝尾寺《かつおうじ》でトレーニングをするはずだったが、天気予報では午後から雨だと言っていた。急遽《きゅうきょ》、室内でのローラー台トレーニングへと変更になる。

更衣室でチームジャージに着替えていると、江口さんが話しかけてきた。ぼくよりも、一年先輩になる選手である。

「どうやら、今日あたりツール・ド・ジャポンの出場選手が決まるらしいぞ」

ぼくは、カレンダーに目をやった。ツール・ド・ジャポンまではあと二週間。日本で行われる、数少ないステージレースであり、海外からも多くのチームが参加する。今年は、大阪、奈良、南信州、富士山でのヒルクライム・タイムトライアル、伊豆、東京という日程だと聞いていた。去年まではなかった富士山でのヒルクライムがレースにくわえられ、クライマーに有利なコースになっている。

それだけに、チーム・オッジが力を入れているレースだった。

更衣室にはふたりしかいなかったが、江口さんは秘密の話でもするように声をひそめた。

「今年は伊庭が出るらしいぞ」

まるで大ニュースのような言い方だが、去年の伊庭の成績からすると、決して不思議ではない。山岳コースだけではなく、平坦コースの日もある。ならば、石尾さんだけではなく、伊庭もいた方が勝てる確率は格段に上がる。

去年は、まだチームに入って一年目の伊庭は出なかった。もちろん、ぼくもだ。そういう意味では二年目の伊庭が、重要なレースに出るのはニュースかもしれない。チーム・オッジには十五人の選手がいて、レースに出場できるのはたった六人だ。ぼくの反応が鈍いのが気に入らないのか、江口さんはもっと声をひそめてこう言った。

「はじめて、石尾さんと伊庭が直接対決することになるな」

そう言われてはっとする。伊庭はすでにいくつものレースで勝っているが、それはだいたい小さなレースか、平坦なコースのレースで、それには石尾さんは出ていない。だが、もし、ツール・ド・ジャポンにふたりが出るとしたら、はじめてはっきりとした順位がつけられることになる。

山では石尾さんが勝ち、平坦では伊庭が勝つという役割分担があっても、ステージレースは最終的に総合順位が決められる。

ふいに、思った。伊庭が暗峠を走りたがったのは、そのことに気づいていたからだろうか。

少し遅れて、ほかのチームメンバーが更衣室に入ってきた。中には石尾さんの姿もあった。

なんとなく疚《やま》しくて、ぼくは少し目をそらした。

やはり、その日は午後から雨になった。ぼくはローラー台の上で一日を過ごした。マシンで筋トレをしている者もいる。

正直、ローラー台にのせられた自転車を漕ぐのは嫌いだ。駕籠《かご》の中で輪を回すネズミになったような気がする。負荷を自在に変えられることが、効果的なトレーニングに繋がることはわかっているが、どうしても気が乗らない。

普段よりも疲労感を覚えながら、やっとその日のスケジュールを終え、ローラー台を降りた。汗を拭い、水を飲んでいると、赤城さんがこちらにきた。横を通り過ぎるようなさりげなさで言う。

「チカ。非常階段で、石尾が待ってる。話があるそうだ」

驚いて、赤城さんの顔を凝視した。彼は首を横に振った。理由についてはなにも知らないという意味だろう。

ぼくは頷《うなず》いて、汗を拭きながら、トレーニングルームを出た。非常階段に通じるドアを開けると、急にひんやりとした風が吹き込んでくる。汗をかいた皮膚にそれが気持ちいい。

石尾さんは、非常階段の手すりにもたれて、雨雲を眺めていた。飴《あめ》でも舐《な》めているのか、片方の頬が膨らんでいる。定期的に糖分を摂るのは、体内のグリコーゲンをふやすためだ。

雨はすでに小降りになっていた。

ぼくの顔を見て、石尾さんはそう言った。

「悪いな」

自転車を降りた石尾豪は、いつもどこか気怠《けだる》げだ。動作もしゃべり方も、ひどくゆっくりで、むしろ鈍重にすら見える。二十歳を越えてからも、何度か高校生にカツアゲされそうになったという噂《うわさ》を聞いたことがあるが、それもわかるような気がする。

この人が、自転車に乗った瞬間、日本でも指折りの選手になるとは、言われなければわからない。

物静かで、声を荒らげたところなど聞いたことがない。チーム・オッジにあまり体育会系特有の空気が感じられないのは、この人がエースであるせいだろう。

あまり身なりにかまわないのか、中途半端《はんぱ》に伸びた髪を鬱陶《うっとう》しそうに払い、彼は口を開いた。

「伊庭と暗峠に行ってたらしいな」

「すみません」

反射的に、ぼくは謝ってしまった。石尾さんは少し笑った。

「別になにも怒っているわけじゃない。まあ、無闇《むやみ》に疲れを溜《た》めるのは感心しないが、プライベートでなにをしようが勝手だ」

それでも、確実に今日、ぼくの足は疲労を感じている。プロ意識の足りない行為には違いない。

「で、どうだった」

「え？」

「伊庭だよ。走れたのか？」

本当のことを答えるべきか、少し迷った。だが、嘘《うそ》をつく理由も見つからない。

「思っていたより走れていた……と思います。ぼくより二分遅れただけでした」

石尾さんは、表情を変えずに頷いた。

「やっとやる気になったらしいな」

まるで、伊庭がそれくらい走れることも気づいていたような口調だった。

「なら、ちょうどいい。ツール・ド・ジャポンに連れて行く」

はっきりとそう断言されて、ぼくは息を呑《の》んだ。

出場選手を決めるのは監督だ。だが、斎木監督はまだ三十半ばと若く、今年オッジの監督に就任したばかりだ。長年エースを張ってきた石尾さんの希望は無視できないはずだ。

考え込んでいると、彼は付け加えるようにこう言った。

「おまえもだぞ」

予想もしなかったことを言われて、ぼくは思わず尋ね返した。

「今、なんて……」

「おまえも連れて行く。働いてもらうぞ」

働いてもらう。そう言われた瞬間、ぼくの背中を戦慄《せんりつ》のようなものが走り抜けた。

ぼくは軍曹の前に立った新兵のように背筋を伸ばした。

「頑張ります」

石尾さんは、ぼくの肩を軽く叩《たた》くと、非常階段を上っていった。

翌日、ツール・ド・ジャポンの出場選手が監督から発表された。

石尾さん、赤城さん、中堅どころのアシストである山中さんと篠崎さん。そして、伊庭とぼく。

この中で、いちばん意外なのはぼくだと思うのに、それに対する嫉妬《しっと》や反発のようなものは、先輩たちから感じなかった。むしろ、伊庭の方が遠回しに嫌みを言われたり、陰で噂をされているようだった。

それは、ぼくがこのチームでうまく立ち回っているからという理由だけではないはずだ。

たぶん、みんなにもわかっている。伊庭は、勝つことを期待されて、レースに出場する。だが、ぼくは働くために行くのだと。

ゼッケンの数字にも、スタートリストに記された名前にも、その違いは表れない。

それでも、そこには、決して埋めることのできない溝がある。

第二章 ツール・ド・ジャポン

目を開けたとき、あたりはまだ暗かった。

なぜか、胸のあたりに重く、冷たいものがわだかまっている気がして、不思議に思い、そして、すぐに気づく。

先ほどまで、香乃《かの》の夢を見ていた。

——わたしのために勝ってよ。

少し、強気で傲慢《ごうまん》な印象すら受けるしゃべり方。顔色が悪く見えるのに、いつも紫がかった口紅をつけていた。それを落とせば、ひどく幼い顔になることをぼくは知っている。

——わたしのために勝って。

もちろんさ、香乃。ぼくは心でそう答える。あのとき、六年前と同じように。

今まで何度、彼女のそのことばを思いだし、それに同じ返事で答えただろう。だが、それは傷を掻《か》き壊したり、かさぶたを剝《は》がしたりするような、軽い自傷行為《じしょうこうい》のようなものだ。

ぼくは勝たない。チームは勝つかもしれない。石尾さんや伊庭も勝つかもしれない。今日のレースでは無理でも、別のレースでは勝つだろう。だが、ぼくが勝つ日は永久にこないのだ。

それでも、ぼくは彼女のことばに、胸を張ってこう答える。もちろんさ、と。

それ以外の返事をしたとき、彼女がどんな反応をするのか、ぼくは知らないのだ。

ふと、思った。一度くらい、こう答えてみてもよかったかもしれない。

——そんなの無理に決まってるよ、香乃。

だけど、たとえきみのために勝てなくても、きみのことは愛しているよ。

ぼくは、声に出して言ってみた。口に出してみると、そのことばは急に嘘《うそ》の気配を帯びた。

それが嘘なら、どんなによかっただろう。

ぼくの心の一部は、あの日から動くことを止《や》めている。

五月の半ばだというのに、空気は夏のように湿って暑かった。

チームバスの空調はうまく調節がきかなかった。暑すぎるかと思って強めれば、急に寒くなる。

ツール・ド・ジャポンの一日目は、大阪ステージの泉北《せんぼく》周回コースである。

チーム・オッジは大阪北部を拠点にしているから、すぐ近所とは言えなくても、比較的近くである。このステージと、明日の奈良ステージは一週間前に試走もした。

東京や地方からきているほかの国内チームや、海外チームとくらべれば、リラックスした気分でレースに挑める。とはいえ、今回は周回コースだから、コースを知っているという利点は、あまりレースに影響を及ぼさないだろう。

十二・八キロを十一周。コースはほぼ平坦《へいたん》だから、たぶんゴールスプリントでの勝負になる。そのせいか、伊庭の表情は硬かった。

チームブースで、スタートの準備をしていると、補欠として参加している江口さんが戻ってきた。

「すっげえ、さっき、サントス・カンタンの選手見たぜ。テレビで見るのと、同じジャージだったよ」

「どうせ、日本くんだりまでやってくるのは二軍だろ」

山中さんが、あまり興味なさそうに答える。

「そりゃそうです。一軍はジロに特別推薦枠《ワイルドカード》で出場中ですから」

サントス・カンタンは、スペインのコンチネンタル・プロチームである。カテゴリとしては最高のプロチームよりは一段落ちるが、伝統のあるチームでグラン・ツールでのワイルドカード枠にもいつも選ばれている。秋にあるジャパンカップにはヨーロッパの有名選手が来日することがあるが、ツール・ド・ジャポンにそれほどのチームが参加するというのは、ちょっとした事件だった。

ほかの海外チームは、カザフスタンやオーストラリア、香港《ホンコン》、ベルギーのナショナルチームと、コンチネンタルチームが四つ。そして、国内チームが八つである。

45のゼッケンをつけながら、ぼくは大きく息を吐いた。プロになって、はじめての大舞台と言っていい。自分の力が、どこまで通用するのだろう。

石尾さんは涼しい顔で、ヘルメットを磨いている。彼のゼッケン番号は、エースナンバーの41である。そして伊庭が46。

真っ平らと言っていいコースだから、石尾さんは今日は無難に集団でゴールするだけだろう。勝負をかけるなら、伊庭である。だが、監督からは、特に伊庭をアシストしろという指示は受けていない。

ぼくは、険しい顔をしている伊庭に目をやった。

——やるならば、自分ひとりの力でやれ、ということか。

去年、四位に終わった石尾さんを表彰台に載せること。できれば優勝を狙《ねら》う。それがチーム・オッジの目標である。伊庭のことは表向きはなにも言われていない。

勝負をかけるのは、富士山でのヒルクライム・タイムトライアル、それから伊豆の山岳コースである。監督からはそう聞いていた。

時間がきて、スタート地点に移動する。合図と共に、選手たちはペダルをまわし始めた。

なるべく、集団の前方に位置するように走る。後方にいると、クラッシュが起きたとき、巻き込まれる可能性が高くなる。

チームのエースを事故から守るのも、アシストの大事な仕事である。

赤城さんと石尾さんを中心に、前方のいい場所に位置取りができた。ほかの三人で、石尾さんを囲むように走る。

伊庭の姿は近くにはない。振り返ると、ずっと後方をひとりで走っていた。

せめて、形だけでもチームプレーに参加すればいいものを。ぼくはそう思いながら、心で舌打ちをした。無闇《むやみ》に反感を買っていいことなどない。

明るいエメラルドグリーンのジャージが、横を通り過ぎていく。サントス・カンタンのジャージだ。選手の顔は知らないが、それでもテレビでしか見たことのないジャージと並んで走るのは、胸が躍る。

一周目、二周目と大きな動きはなかった。その後も何人かの選手が、アタックをかけて飛び出すが、結局集団に追いつかれてしまう。

集団の中には、笑顔で喋《しゃべ》りながら走っている選手もいた。なにも知らない人が見たら、レース中だとは思えないだろう。

ぼくの心拍数もほとんど上がらない。鼻歌でも歌えそうなほどの軽い運動である。

レースが動いたのは七周目の半ばだった。ひとりの選手が飛び出した。続いてもう二人。ちょうどわずかな上り坂で、タイミングもよかった。ぐんぐん先に進んでいく。

中には優勝候補と言われるカザフスタンチームの選手がいた。

アジアはヨーロッパに比べて、ロードレースのレベルは高くはないが、カザフスタンだけは別である。プロチームにもたくさんの選手が所属している。

すぐにいくつかのチームが、集団のスピードを上げる。スプリント勝負に持ち込むためには、逃げを許してはならない。

これまでと同じようにすぐつかまると思った。だが、意外にも先頭との距離はどんどん開いていく。

想像以上に力のある選手らしい。

ふいに、石尾さんがぼくの横に並んだ。小さな声でひとことだけ言う。

「前を引け」

ぼくは、驚いて、石尾さんを見た。石尾さんは、静かに頷《うなず》いた。ゴーグルの下の目が、急げと言っていた。

ぼくは頷くと、速度を上げた。

定石では、前を引く——先頭交代に加わり、集団の速度を上げ、逃げをつかまえる——必要があるのは、スプリント勝負に持ち込む必要のあるチームだけだ。オッジのエースは石尾さんだから、今日のレースではアシストたちも力を温存して、先頭交代に加わらない予定だった。

ぼくは、言われたとおり、一番先頭に飛び出した。そのまま空気抵抗を受け、速度を上げていく。

アシストとしては、集団の速度さえ上げれば、途中で疲れて力尽きてもかまわない。リタイアにならない程度の順位でゴールに入ればいいのだ。

総合順位が最下位であろうと、アシストにとっては不名誉なことではない。必要なのは、求められているときに力を発揮できるかどうかだ。

カザフスタンチームの選手が先頭交代に加わった。彼らは、速度を上げるためにきたのではない。むしろ、邪魔をして速度を落とし、逃げている選手を先に行かせるつもりなのだ。

別のチームがまた前に上がってくる。ぼくは、後ろに下がって足を回復させることにした。

後ろを向いて、伊庭の姿を探す。オッジのジャージは白で、一見地味だが、集団の中では意外に目立つ。先ほどまで、最後尾にいた伊庭だが、集団中程まで上がってきていた。

石尾さんが、ぼくに前を引かせる理由はひとつしかない。伊庭を勝たせるつもりなのだ。

「よう、チカ」

ぼくの横に、紺のジャージの選手が上がってくる。大学の先輩である沖田さんだった。今は、ホリカワサイクルチームで走っている。彼のチームのエースは、スプリンタータイプだから、先ほどから中心になって、集団を引いていた。

「オッジが平坦でやる気を見せるとは珍しいな。あの新人スプリンターを勝たせるつもりか?」

話しかけられて、ぼくは笑顔で答えた。

「さあ? ぼくは言われたとおりやっているだけです」

だが、どのチームから見ても、ぼくの目的は明白だ。まさか、石尾さんが怪我《けが》をする危険を冒して、勝つ見込みのないスプリント勝負に挑戦するとは思えない。

去年の活躍で、伊庭の名前もそこそこ知られているはずだ。

沖田さんは、ぼくの返事を聞いても気を悪くした様子はなかった。

「無理はするな。計算して、ゴールの手前でつかまえるんだ。早くつかまえすぎても、また別の選手が飛び出す」

だれかが飛び出しているうちは、別の選手もアタックはかけない。飛び出して、前を走る選手に追いつけるかどうかはわからないし、追いつけなければ、逃げ切っても一位にはなれない。

だが、前にだれもいなければ、話は別である。アタック、逃げ切りを狙っている選手は何人もいる。

順繰りに前に出ながら、先頭交代を続ける。特に監督から、無線連絡はない。問題があれば言ってくるはずだから、石尾さんの独断だとしても監督も納得しているのだろう。

少しずつ呼吸が上がって、汗が噴き出してくる。

だが、気分は爽快《そうかい》だった。楽しいと言ってもいい。

赤城さんの心配は単なる杞憂《きゆう》だった。石尾さんは、伊庭に勝たせようとしている。

意外に逃げ集団との差がうまく縮まらない。集団の間に焦《あせ》りが見え始めてきた。コースはあと二周。これでつかまえられなければ、今日は終わりである。

ぼくはまた前に飛び出した。いちばん重いギアにチェンジして、全力でペダルを回す。

今日の自分の順位のことも、明日のことも考えたくはなかった。ただ、今、速く走ることだけを考える。

沖田さんがまた横に上がってくる。あきらかに顔が驚いていた。

「チカ、おまえ大丈夫か？」

質問の意味はわかっていたが、わざとすっとぼけた。

「なにがですか？」

「まだ、五日あるんだぞ。山岳ではエースのアシストもしなければならないだろうに、そんなに足を使って大丈夫か？」

沖田さんはわざと丁寧にそう説明してくれた。

「今日は調子がいいんです」

それは嘘なのか、本当なのか、自分でもわからない。本当のような気もするけど、ただハイになっているだけで、本当は身体《からだ》は疲労している気もする。

「無理するなよ」

親切にもそう言ってくれた沖田さんに礼を言う。だが、足は休めない。

ただ、走りたいだけなのだ。

だが、無情にも足は次第に重くなる。息も乱れて、荒くなってきた。ぼくの様子を見たのか、別の選手が前へ出た。

ほぼ、それと同時だった。前方に先頭の選手が見えた。差はもう一分もない。周回コースはまだまるまる一周残っている。これなら、頑張らなくても簡単につかまえられる。

そう思った瞬間、足の力が抜けた。

速度が急に落ちる。集団がぼくの横を通り過ぎていく。

ぼくはあわてて、集団から遅れないように、ペダルを回した。なんとか、最後尾に張り付くことができた。

だが、もう集団の前方には上がれない。最後尾にくっついて走る程度の体力しか残っていなかった。

そういえば、水分を補給することすら忘れていた。ぼくはあわてて、ボトルの水を口に流し込んだ。きちんと水分補給をしなければ、明日に差《さ》し障《さわ》る。

残り五キロ地点、集団が、逃げていた選手たちを飲み込んだ。

これで、後はゴール手前のスプリント勝負になる。たぶん、前方には、スプリンターたちが集まってきているだろう。

伊庭の背中も、かなり前の方に見える。

最後の一キロを切って集団のスピードがまた速くなる。今度は無理に付いていかない。ここからなら遅れても、大した問題ではない。

集団はどんどん遠ざかっていく。勝ってくれよ、と伊庭に念を送った。

ぼくが、最後の五百メートル地点を通過したとき、前方で歓声が上がった。

集団がゴールしたのだ。

ぼくは息を呑《の》んで、アナウンスに耳を澄ました。

呼ばれたのは伊庭の名前ではなかった。

その日、優勝したのはサントス・カンタンの選手だった。プロコンチチームとの力の差を、まざまざと見せつけられたことになる。

伊庭は四位。だが、新人スプリンターとしては上出来だ。ぼくが足を使ったことも、まんざら無駄にはならなかったわけだ。

今日は、明日のレースがある奈良で宿泊することになっている。ぼくは、着替えてチームバスに乗り、シートに座り込んだ。ひとり先に乗っていた篠崎さんがシートから振り返って笑う。

「よう、おつかれさん。頑張ったな」

「まさか、初日から足を使うことになるとは思いませんでした」

まだレースは五日ある。そう思うとちょっとぐったりするが、気分はいい。篠崎さんは、少し声をひそめるように言った。

「まさか、石尾さんが白石を伊庭のために使うとはな。自分の山岳ステージのために連れてきていると思っていたのに。監督も驚いていたらしいぞ」

「監督の指示じゃなかったんですか？」

「監督は渋っていたらしい。今日、おまえが疲れてしまうと、ただでさえ少ない山岳アシストが減る」

ただでさえ少ない、というのは伊庭のことを指しているのだろう。例年なら石尾さん以外はすべてアシストで固められる。

篠崎さんは、話したりないのか、ぼくの隣のシートへ移ってきた。

「あの石尾さんがほかの選手を勝たせるために指示を出すとはねえ。やはり年をとると丸くなるもんだな」

なにか感慨深げにつぶやく。

「伊庭は、まったく選手のタイプが違うからじゃないですか?」

「だが、前にあの人が潰《つぶ》した選手もクライマーではなかった」

篠崎さんの口から出たことばは、あまりにもさりげなく、聞き流しそうになる。だが、その意味は、ひどく嫌な気分とともに、じわりとぼくの頭に染《し》みこむ。

「潰したって……」

くわしいことを聞こうとしたとき、ほかの選手たちがバスに乗り込んできた。中には石尾さんも伊庭もいた。

四位になったにしては、伊庭の表情は険しかった。

バスは表彰式を待たずに出発した。篠崎さんは、ぼくのシートから離れて、山中さんと話し込んでいる。

少し眠ろうと、ぼくは目を閉じた。だが、人影がぼくの上に差す。

目を開けると、そこには伊庭が立っていた。不機嫌さをあからさまに出した表情で言う。

「なぜ、前を引いた」

ぼくは、背もたれから身体を起こした。

「チームオーダーだよ」

「おれは別に今日勝負に出るとは言っていない」

そんなことを今言われて、どう答えればいいのだろう。困惑していると、後部座席から、石尾さんの声が飛んだ。

「伊庭。負けたからって、白石に八つ当たりすんな」

同時に、どっとバスの中に笑いが広がる。伊庭の顔にさっと朱が差した。

「八つ当たりなんかしていない。今日はあまり調子がよくなかった。白石に足を使わせる必要はなかった」

「勝つつもりがないなら、ボトル運びでもしろ。勝つわけでもない、アシストでもない選手を飼っておく余裕などない」

伊庭は、唇を噛《か》んで、ぼくの横を離れた。

斎木監督が、一番前の座席から立ち上がって、こちらを向いた。

「伊庭。四位なら上出来だ。だが、調子が悪いなら、レース途中でもいいからそう言え。でなければ、当然、こちらはおまえが勝負に出るものだと思うだろう」

さすがに監督には逆らうつもりはないらしい。伊庭は素直に答えた。

「すみませんでした」

監督は続けて言った。

「白石も気にするな。おまえはよくやった」

「気にしてませんよ」

疲れてはいるが、悪い気分ではない。今朝の夢の重苦しさもどこかに消し飛んでしまった。

少し気になって、振り返ってみると伊庭はまだ険しい顔をしていた。

ホテルにはいると、すぐにマッサーがきてくれた。

新人だから、普段はいちばん後回しにされるはずだが、監督が気を利《き》かせてくれたらしい。凝り固まった筋肉をもみほぐしてもらうと、やっと明日も走れる気がしてきた。

明日の奈良ステージも、ほぼ平坦《へいたん》だ。その後、移動日を挟むとはいえ、南信州、富士、伊豆と山岳が続くから、足を酷使することは避けたい。

ホテルの部屋は石尾さんと同室だった。石尾さんを前にすると、まだ少し緊張してしまうのだが、なぜか同じ部屋であることに息苦しさは感じない。今までも何度か同室になったことがあるからわかっている。彼はいつも、部屋に入ると、すぐにベッドに潜り込み、寝息を立て始める。

多少の物音を立てようが、目を覚ますことはない。そして、明日の朝まで昏々《こんこん》と眠り続けるのだ。まるでレース以外の行動など、すべて無意味であるとでもいうように。

夕食は宴会場でのバイキングだった。食べ終えて、部屋に戻る途中、エレベーターの前で伊庭と鉢合わせた。

伊庭は気まずそうにさっと顔を背けた。こちらの方には避ける理由はひとつもない。そのまま並んでエレベーターを待つ。

「さっきは悪かった」

驚いて、横を向くと、伊庭はまた顔を背けた。

「いいよ。別に気にしてない」

「おまえが監督や石尾さんに言われたことをやっただけなのはわかっている。だが、納得できないのも事実だ。なにもオッジが前を引く必要はなかった。おれはまだマークされるほど有名選手じゃない。だまって他のチームに仕事をさせて、それで最後の最後にスプリントで勝利をかっさらえればいいと思っていた」

ぼくは、黙って彼の話を聞いていた。だが、次に伊庭はこう言った。

「あんなふうに足を使わなければ、おまえにだって、第三ステージ以降の山岳でチャンスがあったかもしれない」

エレベーターがくる。乗り込んで目的の階のボタンを押しながら答えた。

「ぼくはアシストだ。自分の勝利を狙《ねら》うつもりはないよ」

「どうして、そう決めつける。やってみればいいだろう」

エレベーターはすぐに目的の階に着いた。伊庭とは別室だが、同じ階だ。並んで降りる。

「監督が言っていた。白石は、もしかしたら石尾の次の山岳エースになるかもしれない、と」

思わず足が止まる。伊庭もつられたのか立ち止まった。

「どうして、そんな顔をする」

たぶん、ぼくは困惑した顔をしていたのだろう。伊庭が不思議そうに尋ねた。

「考えてもいなかったことを言われたものだから……」

「素直に喜べよ」

ぼくは首を横に振った。

たぶん、伊庭には伝わらないだろう。そう思いながら言った。

「わからないんだ」

「なにが」

「ゴールにいちばんに飛び込む意味が」

勝つことの喜びだとか、誇りだとかそういうものが。

自分の足で走っていたときもそうだった。ただ走ることは好きだったけれど、ゴールは少しも輝いて見えなかった。必死にゴールへ飛び込むほかの選手は、きっとぼくと違うものを見ているのだと思った。

ぼくにはそれは見えない。どんなに目をこらしても。

一着でゴールを切っても、感じるのは困惑だとか、居心地の悪さだけだった。なにひとつ、そこには自分にふさわしいものはなかった。ただ、走るだけ走って、あとは放っておいてくれれば、どんなにいいだろうかと思ったほどだった。

「たぶん、ちょっとどこかネジが外れてるんだと思っている」

ぼくは笑いながらそう言った。

「どんなスポーツでも勝たなきゃプロとしてやっていけない。だけど、自転車は違う。自分が勝たなくても、走ることができる」

そう。ただ、走りたいだけなのだ。なにも考えずに、今日のように。がむしゃらに走って、疲れてゴールにたどりつけなくてもそれでいい。

思った通り、伊庭は異星人でも見るような顔で、ぼくを見ていた。

勝利に執着しなければ、スプリンターなんてできない。わずかなためらいや不安が、スプリント勝負では運命を分けるのだ。

「だから、ぼくのことは別に気にしなくていい。与えられた仕事をする方が、向いているんだ」

伊庭はなぜか鋭い目でぼくを凝視した。そして言う。

「それは、ただ、逃げてるだけだろう」

「そうかもな」

だが、少なくともこの世界なら、逃げることを許してもらえる。

ときどき、思うのだ。

自らの身を供物《くもつ》として差し出した月のうさぎの伝説のように、自分の身体《からだ》をむさぼり食ってもらえれば、そのときにやっと楽になれるのではないかと。

だが、現実にはそんなことは起こりえない。

むしろ、それは、ひどく尊大で、人に負担を強いる望みだ。

だれも、他人の肉を喰らってまで生きたいとは思わないだろう。

月のうさぎは、美しい行為に身を捧《ささ》げたわけではなく、むしろ、生々しい望みを人に押しつけただけなのだ。

昔はもっと、屈託なく走っていたように思う。真っ先に、ゴールに飛び込むこともそれなりに楽しかった。

認めたくはないが、香乃のことが、ひとつの転機になったのは事実だった。

だが、香乃のせいで、トラウマを背負い、勝つことが怖くなったというわけではない。香乃のおかげで気づいたのだ。自分は本当はなにも見えていなくて、ただ、パブロフの犬のように勝利が美しいものだと思いこんでいたことに。

香乃。もう五年も会っていないから、たぶん変わってしまっただろう。もしかしたら、胸が痛くなるほどきれいになっているかもしれない。だから、会えないことは、決して悪いことではない。

香乃とは、幼なじみだった。家が近所で、小学生のときから知っていた。

はじめて会ったときから、ぼくは彼女を美しいと思った。まだ、ランドセルを背負って、ぺたんこの靴で歩いているのに、彼女の笑顔には、大人の女性と同じ、甘い媚《こ》びのようなものがひそんでいる気がした。性格はむしろそっけなく、甘えたところなどひとつもないのに。

走ること以外は、なんの取り柄もなかったぼくと違って、彼女は成績もよく、クラスの人望も厚かった。気は強かったが、その美貌《びぼう》で男子にも人気があった。なぜ、彼女がぼくなんかのことを好きになったのか、どうしてもわからない。

中学生になり、ぼくたちは恋人同士になった。両親が共働きで、留守がちな彼女の家で、早熟にもセックスをした。

いつも頭に血が上ったようになり、時間はあっという間に過ぎた。彼女はいつも、目をぎゅっとつぶって、身体を強《こわ》ばらせていた。今思えば、彼女にとっては苦痛でしかない時間だったのかもしれない。

それでも、彼女の固いような小さな乳房や、次第に早まっていく息づかいは、ぼくの記憶の中に鮮烈に残っている。ときどき思い出して、どうしようもないような気持ちになる。

香乃以外の女性を好きになることなどないと思っていた。

彼女は誇り高い少女だった。つきあっていて、なにかをねだられたことなど一度もないし、ファーストフードのハンバーガーすら、理由もなくおごられることを嫌った。

ほかの少女たちのように、ぼくに鞄《かばん》を持たせたことすらない。つきあっていてさえも、なにか不作法なことをすると、手の甲をはたかれるような雰囲気すらあった。

そんな彼女がたったひとつだけ、ぼくに要求したこと。

——わたしのために勝ってよ。

陸上の大会があるたび、彼女はぼくにそう言った。

ぼくは頷《うなず》いて、こう答える。

——もちろんだよ。香乃。

彼女のそのことばは、たしかにぼくに勇気をくれた。トップでゴールに飛び込んで、歓声を浴びれば、自分が彼女にふさわしい男になれた気がした。

——わたしのために勝って。

そのことばに導かれるようにぼくは勝ち続け、その年、東北で行われるインターハイへ出場することになった。

正直、インターハイで勝てるとは少しも思っていなかった。今まで出た大会とはあきらかにレベルが違うし、優勝候補はほかにいた。

それでもぼくは、ゴールを目指して走った。たった三千メートル。トラック七・五周の距離を走り抜けた。

頭には香乃の声だけがあった。

——わたしのために勝って。

勝つことが、彼女のためになるわけではないことはわかっていた。彼女がそう言うのは、ぼくを励ますためなのだ。

それでも、そのことばは、ぼくの力だった。ゴールに飛び込めば、彼女は笑ってくれるのだ。

気がつけば、ぼくはゴールテープを切っていた。信じられなかった。

たくさんの人の祝福を受けた。だが、その場に香乃はいなかった。見にくる、と言っていたから、不思議に思いながらも、ぼくはそのままにしてしまった。勝者には、勝利の余韻に浸る暇すら与えられない。次から次へと、流されるように人と会い、話をして、笑顔を見せなければならない。

やっと、ぼくがひとりになれたのは、深夜になってからだった。

ぼくは、香乃の携帯に連絡をした。電話越しに彼女の声を聞いて、ほっとする。いちばん気になっていたのは、彼女が事故かなにかに遭ったのではないかということだった。

なぜか、彼女は家にいた。

「ごめんなさい。急用ができて行けなくなったの」

彼女は口籠《くちご》もりながらそう言った。ぼくが勝つ姿を見てほしかったけれど仕方がない。開催地までは日帰りではこれない。

ぼくは、彼女に勝利の報告をした。

「よかったね。すごいね。チカが勝つところ、見たかったよ」

彼女は本当にうれしそうにそう言った。ぼくは受話器を握りしめた。その声が、少しでも近く聞こえるように。

翌日、ぼくは地元に帰った。陸上部の仲間たちや、友達、近所の人たちに祝福を受け、やっと、その日の夜、香乃に会うことができた。

待ち合わせのファミレスにやってきた香乃を見て、少し驚いた。なぜか、その隣には、ぼくの友人である高崎がいた。中学のとき、同じ陸上部だったが、高校に入って彼は陸上をやめてしまっていた。

香乃と高崎は、並んでぼくの前に座った。ひどく胸騒ぎがした。香乃が口を開く。あいかわらず、血の気の失《う》せたラベンダーのような色の口紅を引いていた。

「チカ、おめでとう」

そして、彼女は言ったのだ。

でも、ごめんね、と。

香乃と高崎は、ぼくを応援するため、一緒に競技場へ向かう約束をしたという。

まだ高校生でお金がないから、鈍行を乗り継いで、現地へと向かった。ひどく長い時間がかかったという。

その時間に、なにがあったのか、はっきりしたことは香乃も口にしなかった。だが、二人はその退屈な時間、ずっと話を続けて——そして、恋に落ちたのだ。

香乃たちは、開催地まではたどりつけなかった。途中で、列車から降りて、反対方向の列車に乗って、また長い時間を二人で帰った。

「だって、そのままチカに会ったら、きっと嘘《うそ》をつくことになってしまう」

彼女は下を向いたまま、そう言った。

嘘はつきたくなかったのだと。

それまで黙っていた高崎が、やっと口を開いた。

「ごめん……」

それがきっかけだったかのように、香乃の唇が震えた。頬を涙が伝っていく。

「ごめんね。本当にごめんなさい。わたしたち、チカにひどいことした」

ぼくはぼんやりと彼女の頬をながめていた。彼女の涙を見るのははじめてで、ぼくはそのことに感動のようなものを覚えていた。

言われたことは、すべて頭を素通りしていくようだった。

涙はぽたぽたと、ファミレスのテーブルの上に落ちた。それを拾い集めたいような衝動にすらかられた。

そして知る。ああ、ぼくはこんなにも香乃のことが好きだ。

彼女を、そして高崎を責めるつもりは少しもない。裏切られたとも思っていない。

それは、起こるべくして起こったことで、だれのせいでもないのだ。

香乃の人生がドラマだとしたら、ぼくは一話か二話で退場する脇役《わきやく》で、それはあらかじめ決まっていたことなのだ。

それはやけに納得できる考えで、そう思いついたとき、ぼくは膝《ひざ》を叩《たた》いて笑ってしまった。

とても、白石誓らしい、と思ったのだ。

翌日の奈良ステージはゴールスプリント勝負だった。伊庭は二位に食い込んだ。

これで、チーム・オッジに伊庭あり、ということを知らしめたことになる。もっとも、伊庭は優勝できなかったことを悔やしがっているようだった。総合でも四位という好成績を保っているというのに。

ぼくは、集団内で体力を温存させてもらった。

一日、移動日を挟んで、その次は南信州のステージである。
いよいよ、山岳が始まるのだ。

第三章 南信州

飯田《いいだ》のビジネスホテルに到着すると、すぐにトレーニングに出た。

たとえ休養日でも休む暇はない。コースの試走も兼ねて、天竜川に沿って走り、周回コースを二周した。

本格的な山岳コースというには、勾配《こうばい》はさほどきつくはない。やはり、本当の勝負が決まるのは、この後の富士ヒルクライムと、伊豆のコースだろう。

明日は、このコースを十二周する。

レース前のトレーニングは足に疲れを残さないように、軽く行われるだけだ。まったく走らないでいると、調子が出ない。だが、走りすぎると、明日に差《さ》し障《さわ》る。

部屋に帰ると、すぐにマッサーがくる。今日はもちろん、石尾さんが先だ。

彼がマッサージを受けている間、ぼくはぱらぱらと雑誌をめくっていた。ふいに、今まで黙っていた石尾さんが口を開いた。

「あれから、伊庭はなにか言っていたか？」

ぼくは雑誌から顔をあげた。石尾さんは俯《うつぶ》せになって、気持ちよさそうに目を閉じていた。

「……悪かった、とは言われました」

「そうか。ならいい」

ぼくは二日前の、伊庭との会話を思い出した。

あれから、伊庭とはほとんど口を利《き》いていない。好成績にもかかわらず、伊庭の表情はずっと険しいままだった。

いくら、総合で四位だと言っても、明日以降、その成績を保てるはずはない。伊庭は山が苦手である。いくら克服したといっても、まだこのレースで通用するレベルではない。

そういう意味では、昨日勝っておきたかったのだろうと思う。ステージ二位では、名前は記録に残らない。

「あいつはまだ甘い」

石尾さんは、ためいきをつくようにそうつぶやいた。

「おまえを働かせることに抵抗があるようだが、ほかのチームはアシストを使いこなしてくる。それにひとりで対抗することなどはできない。よっぽどの天才でもない限りな」

それは、ぼくの考えも同じだ。だが、伊庭の気持ちもわからないわけではない。ぼくが伊庭だとしても、チームメイトを自分の勝利のために働かせるのは辛《つら》いと感じるだろう。

「アシストを徹底的に働かせること。それが勝つためには必要だ。自分のために働かせて、苦しめるからこそ、勝つことに責任が生まれるんだ。奴《やつ》らの分の勝利も、背負って走るんだ。わかるか」

ぼくは頷《うなず》いた。賞金こそ分配されるが、勝者として記録に残るのはたったひとり、エースの名前だけだ。それが、ほかの団体競技と自転車ロードレースの違いである。

「あいつはまだその覚悟がない。あれでは勝てない。運がいい日以外はな」

そう言ったきり、石尾さんは黙った。もう眠ってしまったのかと思うほどの時間が経《た》ったあと、また彼はこう言った。

「明日、逃げられるか」

「え？」

唐突すぎて、意味を理解するのに時間がかかった。

「その……頑張ってみます……」

はっきりと、逃げてみるとは言えない。ぼくの逃げなど、簡単に潰《つぶ》されてしまう可能性の方が高い。

せっかく、そう答えたのに、石尾さんの反応はなかった。見れば、静かな寝息を立てている。ぼくは唇を舌で湿した。

明日も長い日になりそうだった。


逃げる。つまり、ひとり、もしくは少人数で集団を飛び出して、先行して走ること。もし、集団から追いつかれることなく、ゴールまで逃げ切れれば、勝利への距離は格段に近くなる。

ひとりで逃げ切れれば、優勝を手にすることになるし、数人での逃げでも、その中の勝負になるから、集団ゴールよりは圧倒的に有利だ。

もちろん、追いかける集団も簡単に逃がしてはくれない。有力選手はアタックをかける——つまり飛び出した時点で追いかけられ、逃げを潰されることがほとんどだし、たとえ、優勝に絡《から》む選手ではないという理由で見逃してもらえたとしても、ゴールまでは確実に集団は追いついてくる。

少人数で走るより、集団で走る方が、先頭交代をする選手が多い分、体力は温存できる。ゴールまで逃げ切るのには、かなりの体力と気力、そして運が必要だ。

だが、たとえゴールまで逃げ切れず、途中で追いつかれたとしても、逃げることにはメリットがある。

逃げている選手を擁するチームは、その間、集団の先頭交代に加わる必要はない。そのチームにとっては、前にいる選手を逃がした方が、自チームの選手が勝つ確率が上がる。速度を上げるメリットはなにもない。

逃げに選手を送り込めなかったチームは、必死で集団を引き、先行する選手に追いつくために力を使う。つまり、ライバルたちを消耗させることができるのだ。

だから、最終的に、ゴールにたどりつく前に集団に吸収されることがわかっていても、選手たちは集団から飛び出す。もちろん、何百分の一か、自分が勝つ可能性だってある。

翌朝のミーティングのとき、斎木監督から、改めて指示が出た。

「今日はだれでもいいから、率先してアタックをかけろ。逃げて、ほかのチームを疲れさせるんだ」

伊豆ほどではないが、今日も上りの多いコースだ。疲労は確実に身体《からだ》に蓄積され、明日以降のステージに影響を与えるはずだ。

山中さんと篠崎さんも、少し驚いたように顔を見合わせている。今日のチーム戦略を知っていたようには見えない。

ぼくは喉《のど》の渇きを覚えて、唾《つば》を飲み込んだ。

斎木監督は、特にだれかを指定して「逃げろ」と言ったわけではない。だが、石尾さんはぼくに直接そう言った。やはり、逃げる選手としてはぼくがふさわしいと、監督だって考えているのだろう。

伊庭は今、チーム内でいちばん上位にいる。山で遅れなければ、総合争いに絡めるかもしれない。赤城さんや山中さんたちは、伊豆で石尾さんのアシストをするために必要だ。ぼくは、初日に集団から遅れたせいで、順位はかなり後ろにいる。

先行する選手を追いかけることで、他チームたちは足を使う。だが、それは逃げている選手も同じなのだ。

もし、ここで足を使ってしまえば、富士山のヒルクライムでは、いい成績は残せない。もちろん、逃げて、たったひとりでゴールにたどりつく確率はきわめて低い。チームとしては、有効な戦略だが、選手個人にとってはそれは無謀とも言えるレートの低い賭《かけ》だ。

捨て駒《ごま》、ということばさえ頭に浮かぶ。

だが、それこそがアシストの仕事である。

ぼくは軽く手をあげた。

「ぼくが行きます」

斎木監督は、もうわかっていたような顔で頷いた。

「よし。頼むぞ。だが、白石のアタックが潰される可能性もある。その場合は、だれかほかのものが行ってくれ」

逃げが成功するかどうかは、たしかに運の要素も大きい。ぼくが行きたいと思っても、うまくいくかどうかはわからない。

だが、もうぼくは決めていた。今日は自分が行く。

ミーティングを終え、チームバスに乗り込む。今日のコースマップを眺めていると、伊庭が隣のシートに座った。

いつもひとりで座るのに、珍しいこともあるものだ。

伊庭はちらりとこちらを見た。

「かっこつけやがって……と言いたいところだが、少しわかってきた。おまえは、そういうのが好きなんだな」

なぜか、そのことばを聞いたとき、重い霧が急に晴れた気がした。

勝つことにとまどいを覚えるのは、香乃のことのトラウマなのか、もともと人間らしい感情が備わっていないのか、などとずいぶん悩んだ。だが、実際はもっと簡単なことだったのかもしれない。

ぼくは笑って頷いた。

「そう、好きなんだ……なんか、こう、かえって自由な気がする」

トップでゴールを切ることを目指していたときよりも。

同時に覚悟が決まる。総合成績が最下位だってかまわない。どうせ疲れ切ってしまえば明日以降は使い物にならない。今日でリタイアしたってかまわないのだ。

死ぬ気で逃げて、レースをかきまわす。

スタートの合図と同時に、選手たちは走り出す。

五月の緑は、濡《ぬ》れたような鮮やかさを保っている。心地よい山の空気の中、集団は速度を上げた。

今までのステージでは、スタートするやいなや、アタックをかける選手もいたが、今日は静かなスタートだった。集団はまだレースがはじまっていないかのような静かさで、走っている。

聞こえるのは、チェーンの金属音だけ。

なるべく、早い段階で飛び出さなくてはならない。ぼくは、石尾さんたちと離れて、少しずつ前の方に移動していった。

今日は自分の日でないことはわかっているのだろう。伊庭も今までと違って、石尾さんのそばにいる。伊庭がこの先上位に残るためには、上りに強い選手をマークして、そういう選手に遅れないようにすることが必要だ。石尾さんと一緒に走るのがいちばんいい戦略だ。

ぼくに逃げろと言ったからには、石尾さんは今日勝負に出ない。だが、ほかの強豪選手に先に行かれてしまえば、元も子もない。石尾さんも、間違いなく、そういう選手をマークしているはずだ。

さて、どうしたものか。ぼくは周囲を窺《うかが》った。

自分が勝つために集団から飛び出すのなら、レースも後半になってからでいい。だが、ぼくの目的は違う。

なるべく早く飛び出して、そしてなるべく遅くつかまること。第四周回に入ったばかりのとき、ひとりの選手が飛び出した。一緒に飛び出すつもりだったが、タイミングが遅れた。あっという間に、選手が離れていく。オーストラリアチームの選手が、速度を上げる。ほどなくして、前を行く選手の背中が見え始めた。

ぼくは呼吸を整えた。

あの選手が集団につかまるのと同時に、飛び出すつもりだった。

先行する選手を吸収した瞬間、集団には必ず隙《すき》ができる。そこを狙《ねら》うのはアタックの定石である。

選手はあきらめたのか速度を落とした。そのまま集団に飲み込まれていく。

今だ。ぼくは、ギアをアウターに入れ、ペダルに力を込めた。

集団から飛び出すと、急にペダルが重くなる。空気抵抗のせいだ。だが、そのまま力を入れる。一気に引き離さなくては、すぐに追いつかれてしまう。

同じことを考えていたのだろう。気づけば、ほかにもふたりの選手が飛び出していた。香港《ホンコン》チームの選手がひとりと、サントス・カンタンの選手がひとり。

自然とぼくたちは、小集団を形作り、先頭交代をはじめた。

長時間逃げるのには、ひとりよりもふたり、ふたりより三人の方が効率がいい。

このふたりの選手とは、今まで一緒に走ったことも、ことばを交わしたことすらない。だが、あっという間に互いのリズムがひとつになる。息を合わせ、三人で集団を引き離していく。

無線から、斎木監督の声が聞こえてきた。

「いいぞ。もう一分差をつけた。このまま引き離して、なるべく長く逃げろ」

「わかりました」

同じ連絡は、ほかの選手にもあったのだろう。前を走るふたりの背中から、緊張感が抜けた気がした。

前に行こうとしたとき、香港チームの選手が英語で言った。

「おまえ、英語しゃべれるか？」

「少しなら」

そう答えると、彼は満足そうに頷いた。ゼッケン番号は83。ウォンと書いてある。透明なゴーグルをしているから、シャープな顔立ちがよくわかる。

サントス・カンタンの選手は、ゼッケン番号166。いかにもスプリントに強そうな、大柄で筋肉質な選手だった。ゼッケンの名前は、マルケス・イグナシオと読めた。

「仲良く行こうぜ。このまま三人でゴールまで」

マルケスが英語でそう言う。ぼくにはそのつもりはないが、それを読まれて、振り切られても困る。ＯＫ、と答えた。

マルケスもウォンも、かなり足が強そうだ。七周目に入ったときには、集団との差は三分以上になっていた。

ここまでくれば、しばらくは安泰《あんたい》だ。もちろん集団だって、ゴールまでには意地でもタイムを縮めてくるはずだが、ぼくの目的の半分は達成したようなものだ。

ふいに、ウォンがぼくの隣に並んだ。

「おまえはラッキーボーイだな。今日、目立てばチャンスだぞ」

そんなふうに言われて、ぼくは戸惑った。優勝したわけでもないし、まだ今日、逃げ切れるかどうかもわからないのだ。

ぼくの顔がおかしかったのか、ウォンは笑った。

「さっき、マルケスから聞いた。サントスがツール・ド・ジャポンに参加したのは、日本人の選手をスカウトするためだそうだ」

ぼくは驚いて、マルケスの方を見た。ぼくらの会話は聞こえていたらしく、マルケスは静かに頷いた。

「どうして、日本人を」

サントス・カンタンほどになれば、ヨーロッパでいくらでも有望選手と契約できるはずだ。わざわざ極東の国から、選手を連れて行く理由などない。たとえるのなら、東京の大手芸能事務所が、田舎ののど自慢大会で、次のスターを探そうとするようなものだ。

マルケスが、スペイン語訛《なま》りの強い英語で答えた。

「スポンサーの意向だよ。日本車メーカーとスポンサー契約が決まりそうなんだ。向こうの条件は、来期からチームに日本人選手を入れることだ」

どのスポーツでも一緒だが、なかでもロードレースはスポンサーの力が大きい。なぜなら、観客から一切観戦料を取ることができないスポーツだからだ。チームの運営はすべて、スポンサーの資金でまかなわれる。

日本の場合は、オッジと同じように自転車メーカーが母体になっているところが多い。テレビ放映もほとんどなく、広告効果がそれほど高くないから、まだほかのスポンサーの力は大きくない。

だが、ヨーロッパではメインスポンサーが変わればチーム名も変わる。スポンサーの撤退はチームの消滅を意味するのだ。

「オッジはいいチームだ。うちの監督も注目している」

三人の小集団だから、先頭交代をしながらでも話はできる。ぼくは前へと進んだ。

「でも、スカウトするならうちのエースだろう」

「イシオか、知っている」

なぜか、マルケスがそう言うと石尾さんの名前は、スペイン語のように聞こえた。

「だが、もう若くない。どうせなら、若い選手の方がいい。即戦力にはならなくても、可能性がある。そう監督は言っていた」

マルケスはにやりと笑った。

「若いサムライが欲しいんだそうだ」

ふいに、全身から汗が噴き出した。

テレビで見たヨーロッパのグラン・ツールやクラシックレース。日本のレースよりも圧倒的に速いスピードと、そして成熟した戦略で行われる戦い。今まで考えたことはなかった。伊庭のように、大それた夢を見たことなどない。

だが、もし、その可能性がゼロではないのなら——心から思う。

あそこで走りたい、と。

ハンドルのバーテープが汗で濡《ぬ》れている。ぼくはレーサーパンツで手の汗を拭《ぬぐ》った。

勝つことが、その条件ならば、勝ちたい。もちろん、思ったからといって勝てるのなら苦労しない。だが、勝ちたいと思うこと自体が、ぼくにとってはひどくひさしぶりのことだった。

ぼくは唇を舐《な》めた。

だが、今日このまま抜け駆けすることは、チームの信頼を裏切ることになる。石尾さんや監督の怒りを買うかもしれない。そして、逃げ切ったからと言って、マルケスやウォンとのスプリント勝負に勝てるかどうかはわからないし、勝ってもサントス・カンタンと契約できる確証もない。

だいたい、マルケスが言っていることが本当かどうかもわからないのだから。

そう考えて、ぼくは自分の気持ちを落ち着けた。だが、大きく脈打つ鼓動はそのままだった。

ウォンがゴーグルの下でにやりと笑った。

「だから、頑張ろうぜ、ラッキーボーイ。かといって、勝利を譲るつもりもないけどな」

ぼくは頷《うなず》いて、速度を上げた。

八周目に入った頃から、雨が降り出した。

補給地点でウインドブレーカーを受け取って、走りながら着る。

「日本の雨は冷たいな」

マルケスがひとりごとのように言うのが聞こえた。

スペインの雨は冷たくないのだろうか、と少し考えてみた。きっと、あれほど乾いた土地では、雨は夕立のように激しく降って、すぐに上がるのだろう。ねっとりとまとわりつくように降り続ける日本の雨とは違う。

集団とのタイム差は五分になっていた。そろそろ集団の方も本気で追ってくるだろうが、これだけ差が開いていれば、ぎりぎりまで追いつかれることはない。

逃げ切れるかもしれない、という気持ちは頭の隅に追いやった。

最初に、ウォンが疲労の色を見せ始めた。なかなか先頭交代に加わろうとしなくなった。再三、目で催促するとやっと出てくるが、すぐにまた下がってしまう。

もう、こうなると、一緒に逃げるメリットはない。ただの足手まといだ。

マルケスがちらりと、ぼくの方を見た。口を開かなくても意味はわかる。次の上りで、ウォンを振り切ろうというのだ。

先頭交代に加わらない選手とは、一緒に走れない。疲れたふりをして、足を休めているのかもしれない。勝負所で出し抜かれてから、悔やんでも遅いのだ。

ふたりの情報は、監督から無線で少し前に聞いた。ウォンもマルケスも、スプリントに強い選手だという。だが、やや遅れがちなウォンはともかく、マルケスは上りでも、苦しそうな様子は見せず、楽々と上っていく。プロコンチチームの実力はやはり違う。

次の上りに入ったとたん、マルケスが速度を上げた。ぼくもギアをアウターに入れ、それについていく。

みるみるうちに、ウォンが離れていく。疲れたふりをしていただけではないようだった。

完全に引き離してしまうと、マルケスも速度を緩めた。彼も疲れているのかもしれない。

ウインドブレーカーを着ているとはいえ、冷えは少しずつ体力と気力を奪っていく。汗がジャージの内側でじんわりとぬるく蒸れていた。

集団はいまだに四分以上離れている。監督からの連絡もしばらく途絶えている。ぼくは無線を手で押さえながら、監督に話しかけた。

「監督、どうしますか」

返事はない。

無線からはざらついたノイズが聞こえてくるだけだ。思わず眉間《みけん》に皺《しわ》が寄る。

もしかしたら、無線のトラブルかもしれない。よりにもよってこんなときに。

ぼくは小さく舌打ちをした。

急に足下が見えないような不安感に襲われる。

無線が聞こえなければ、どう戦略を立てていくのかわからないことになる。速度を上げた方がいいのか、息を抜いていいのかもわからない。

マルケスは無線で監督となにか話している。情報が拾えないかと耳を澄ませてみたが、聞こえてくるのはスペイン語だった。単語や数字すらわからない。

たぶん、監督がすぐに気づいて対処してくれるだろう。ぼくはそう自分に言い聞かせた。チームカーが追いついてくれれば、無線の交換もできる。

無線での会話を終えると、マルケスがちらりとぼくを見た。

今までとは違う、どこか冷ややかな目だった。

彼らのように大きな舞台で戦っているわけではないが、それでもその視線の意味がわからないほど、間抜けではない。

ぼくは唇を舌で湿した。

あと二周。集団もそろそろ本気で追っているはずだ。

彼はすでに、気づいているかもしれない。ぼくが、勝利を目指して飛び出した無謀な若者ではなく、チームのために働く兵隊であることに。

先ほどから、ぼくは自分が前に出たとき、少し速度を落としている。無線の通じない不安感が、ぼくにスピードを上げることを躊躇《ためら》わせていた。

もし、最後まで集団が追いつけず、マルケスが勝つことになれば、ぼくはマルケスに利用された大馬鹿者《おおばかもの》ということになる。これだけの時間を逃げれば、充分役目は果たした。もう追いつかれてもかまわないのだ。

だから、マルケスにとっては、ぼくもウォンと同じ足手まといだ。

微妙なところだ。ぼくはマルケスの心理を推理した。

まだ、距離はそこそこある。ひとりで逃げるのは体力的にきついはずだ。速度を落としているとはいえ、ぼくはまだ先頭を引いている。ぼくと一緒に行く方を選ぶか、ひとりでもスピードを上げるか、それは彼の残りの体力にかかっている。

ふいに、マルケスがスピードを上げた。アタックだ。

ぼくもあわてて、それを追う。たとえ、兵隊とはいえ、彼を逃がすわけにはいかない。

ぼくが追いついたことに気づいた彼は、軽く舌打ちをした。

「若いやつはタフだな」

「日本の雨には慣れているんだ」

たぶん、天気もぼくに味方している。彼のコンディションが最高なら、ぼくごときが食らいつけるわけはない。

ふいに、クラクションの音がした。オッジのチームカーがやってきたのだ。ぼくは安堵《あんど》のためいきをつきながら、チームカーに並んだ。

「無線が調子悪くて……どうしますか？」

監督はそれには答えず、新しい無線機を差し出した。メカニックの助けを借りて、走りながら無線機を取り替える。

「調子はどうだ。まだいけるか」

「はい、大丈夫です。で、これからは？」

監督はなぜか、また答えずに、ぼくの顔を凝視した。

「なにかあったんですか？」

まさか落車があって、チームのだれかが怪我《けが》をしたなどということは。

監督は首を横に振った。

「いいや、そうじゃない。だが、集団はもう駄目だ」

「え？ 駄目って……」

「この時点でまだ四分以上差がついている。もう追いつく可能性は低い」

監督は険しい顔で話を続けた。

「こんなことになるとは思わなかった。ほかのチームが、みんな足を使うことを嫌がって、様子見に入ってしまった。マルケスが一緒に逃げたことが誤算だった」

たしかに、苦労して先頭を引いて、ぼくたちに追いついたとしても、今度は足を溜《た》めているサントス・カンタンの選手に、勝利をかっさらわれてしまう可能性は高い。

実力差は、すでに今までの二日間で嫌と言うほど見せつけられている。

積極的に追うチームがいなければ、集団の速度は上がらない。

監督は、窓から顔を出した。

「今日はおまえで行く」

ぼくは驚くほど冷静に頷いていた。

「わかりました」

「マルケスに食らいつけ、絶対に離されるな。そして、最後の登りで、アタックをかけろ。スプリント勝負になったら勝ち目はない。その前に差をつけて、あの男に勝つんだ」

じわじわとなにか得体の知れないものが身体《からだ》を這《は》い上がってくる。

「いいか。絶対に勝つんだ。おまえが勝たなければ、今日のオッジの戦略は失敗だ」

山岳に向けて、ほかのチームを消耗させることはできなかった。

監督が、ぼくに新しいボトルを差し出した。手を伸ばしてそれを受け取る。

監督はすぐには離さない。つかんだまま、一瞬だけ車のスピードを上げた。ぼくはそのスピードに乗って漕《こ》ぎ出し、前を走るマルケスに追いついた。

ぼくが作戦会議をしているうちに、マルケスが先に行ってしまわないかと心配したが、彼はそんな卑怯《ひきよう》な手を使う男ではないようだった。

「冗談じゃない」

思わず、そんなことばが口から漏れた。チャンスだなどとは思えなかった。先ほど、なぜあんなに素直に、わかりました、などと言ってしまったのだろう。

先ほどまで感じなかった不快な重さが肩にのしかかる。

どこか懐《なつ》かしいそれは、陸上をやっていたとき、常に感じていたものだ。

「冗談じゃない」

もう一度繰り返すと、マルケスがちらりとこちらを見た。

「それはどういう意味のことばだ」

ぼくは英語で説明する。

「いやなことになった、と言ったんだ」

「どうして」

「プレッシャーが嫌いなんだ」

真面目《まじめ》に答えたつもりなのに、マルケスはジョークでも聞いたように笑った。

だが、やるしかない。監督の言うとおり、ぼくが勝たなければ、マルケスに利用されただけということになる。

「プレッシャーが嫌いなら、おれに譲れよ。楽になるぜ」

「そうできればいいんだけどね」

また笑われた。ぼくは、マルケスの太い足を見た。たしかに、この足とスプリント勝負で勝てるはずはない。

ぼくは、頭の中でコースを思い描いた。彼を引き離すのなら、絶対に登りだ。それも最終の登りは避けたい。彼は間違いなく警戒してくる。

チャンスはあと、数えるほどしかない。なるべく、遅くまで二人で走った方が身体は楽だが、その分心理的な駆け引きは激しくなる。

駆け引きでも、場数を踏んでいるマルケスの方がずっと上だろう。

唐突に、面倒だ、と思った。だからペダルに力を込めた。

ちょうどタイミングもよかったのだろう。自転車は、追い風に乗るように前へ飛び出した。

定石も戦略も無視したアタックだった。あえてシフトアップはせず、足の回転数だけを上げる。

後ろは振り返らなかった。ついてこられたのなら、仕方がない。

無線から監督の声が聞こえる。

「バカ、まだ早い。もう少し待て！」

ぼくは、それに答えず、最後の登りのことを考えた。あそこを登り終えたら、それから後ろを見よう。それまでは、ただ前に行くことだけを考える。

監督はやれと言ったが、結局のところ、マルケスは格上の選手だ。負けても当たり前、むしろ、この肩の重しのことを考えれば、負けた方が気楽だ。

そう思うと、少しだけ楽になった。ただ、走ることだけを考える。

急激に雨脚が強くなる。もっと降れと念じた。悪天候は嫌いじゃない。

マルケスが後ろにいる気配はない。もっとも、少し離れているだけかもしれないから、油断はできないが。

最後の坂を上り終えて、ぼくは後ろを振り返った。

マルケスの姿はどこにもなかった。


レースには魔物がいると言う。

ぼくだって今まで何度も、目撃してきた。クラッシュや、わずかなトラブルでチャンスを失う優勝候補たち。たった一瞬で運命は変わる。

だから、その日ぼくの身に起こったことも、魔物の仕業だったのだ。そう考えなければ、納得ができない。

最後の周回になって、はじめてぼくの耳には観客の声援が飛び込んできた。監督も、興奮したように「行け、行け」とがなり立てている。

それに酔わなかったと言ったら嘘《うそ》になる。ぼくは必死でペダルを回した。もうペース配分など考える必要はない。あと一周を走りきるほどの体力は残っている。

ボトルを投げ捨て、ただ必死でスピードを上げる。あと少し、あと少しでゴールだ。

もう後ろのことは考えない。マルケスがすぐ後ろまできていて、ゴール目前で追い抜かれたとしても別にかまわないと思った。

一日目を思い出す。あのときと一緒だ。ただ、走ること、それだけしか考えない。ゴールゲートが見えても気分の高揚はなかった。あそこで終わるのだ、と思うと、少しもったいないような気がした。

もう少し先まで走りたい。

ぼくは、腕を上げることすらせず、そのままの姿勢でゲートをくぐった。

スタッフたちが駆け寄ってくる。ぼくは、ブレーキをかけて足をついた。

身体が火照《ほて》りきっていることに気づく。差し出されたボトルの水を頭からかぶった。

「よくやったな、大金星だぞ！」

マッサーやメカニックたちが笑いながらぼくをもみくちゃにする。監督も笑顔でぼくに駆け寄ってきた。

「よくやった！　白石」

すべてが遠い世界の出来事みたいだ。顔では笑いながら、ぼくはそう思う。

マルケスがゴールゲートをくぐり、こちらにやってくる。わずか二十秒程度の差。

逃げ切れたのが嘘のようだ。

彼は、ぼくと目が合うと、片手を上げてにやりと笑った。いかにもラテン男らしい余裕の仕草。

「ステージ優勝どころか、総合だってトップだぞ！」

監督に肩を叩《たた》かれて、やっとぼくはそれに気づいた。

今まではほぼ平坦《へいたん》だったから、たいしてタイム差はついていない。集団とのタイム差の分、ぼくがリードしたことになる。

集団はどのくらい遅れているのだろう。そう思ってゴールゲートを振り返ったとき、集団がやってくるのが見えた。

時計に目をやる。差は二分弱、思ったよりも早い。

逆光の中、こちらに走ってくる集団をよく見たぼくは、自分の目を疑った。

先頭を走っているのは石尾さんだった。


その日の夕食は、小さな祝賀会となった。

普段は、すべてのレースが終わるまで酒など飲まないが、グラス一杯のワインが振る舞われた。

スタッフだけではなく、選手たちもぼくのステージ優勝を祝ってくれた。石尾さんも、表彰式のあと、ぼくの肩を叩いて、「よくやった」と誉めてくれた。その声にも表情にも、嘘の気配などまったくなかったのに、ぼくは素直に喜ぶことができない。

たぶん、それは後ろめたさのせいだ。

まさにアクシデントとでも言うような勝利だった。集団が自滅しなければ、逃げ切れたはずはないのだ。それと無線のトラブル。あれがなければ、集団のスピードが思ったほど上がっていないことがわかった時点で、別の策を検討することもできた。

サントス・カンタンが日本人選手をスカウトしたがっているという話を思い出す。実を言うと、レースの後半はそのことをすっかり忘れていた。だが、その話が胸の奥に引っかかっていたからこそ、あれほど必死に走ったのかもしれない。

そう思うと、どうしても疚《やま》しい気持ちを振り払えない。

それともうひとつ。ゴール手前、こちらに向かって走ってきた石尾さんの顔が忘れられない。

あのとき、彼は本気だった。顔を見ればわかる。

すでに勝負はついていた。三位以下のボーナスタイムを狙《ねら》うにしろ、石尾さんがスプリント勝負で勝てるはずはない。本気で前を引く必要などないはずだ。

それがあるとしたら、たったひとつ、一位と二位の選手とのタイム差をできるだけ縮めるためだ。

そう考えて、ぼくは苦笑した。

いくら何でも調子に乗りすぎだ。石尾さんが、ぼくとのタイム差を広げないために、必死になったと考えるなんて。

たぶん、石尾さんの頭にあったのはマルケスのことだけだろう。ぼくなど、この先のステージで、確実に振り落とされる。

だが、そう考えても、後ろめたさはなまぬるくまとわりついたままだ。

夕食が終わると、ぼくは伊庭の部屋を訪ねた。

伊庭と同室の山中さんが、まだスタッフと話し込んでいることは確認済みだ。

インターフォンを押し、苛立《いらだ》った気持ちで部屋をノックする。ドアを開けた伊庭は、少し驚いた顔をした。

「どうした。ニューヒーロー」

嫌みな口調で、伊庭はそう言った。

「ちょっと話がある」

そういうと、彼は軽く眉《まゆ》を上げて、ぼくを部屋に入れた。

レースが終わったあと、伊庭はぼくの顔を見ようともせず、話しかけてもこなかった。すべての選手やスタッフが祝ってくれたなかで、彼だけが無言だった。

だが、彼のそんな子供っぽさは、さほど不快ではない。笑顔の下に、嫉妬《しっと》を隠される方が気分が悪い。

「今日は上手《うま》くやったな」

「運がよかっただけだよ」

「世の中、運がいいやつしか勝てねえんだよ」

伊庭は怒りを帯びた声でそう言った。

「だから、『運がよかっただけ』なんて言うな」

伊庭はベッドに腰を下ろすと、ぼくを見上げた。

「で、話ってなんだ」

「ソースは確認していない。だから、もしかしたら不確定な話かもしれない」

「なんだ？」

「サントス・カンタンが、来シーズン日本人選手を欲しがっている。今日、マルケスから聞いた」

伊庭は小さく口をあけた。なにかを言おうとして、また閉じる。

「若い選手がいいそうだ。スポンサーの意向らしい」

「そりゃあ……」

伊庭はまたことばを飲み込んだ。舌で唇を湿す。

彼の目に異様な輝きが宿る。考えていた通りの反応だった。

「すごいな。みんなに話したのか？」

「話してない」

「どうして？」

ぼくは肩をすくめた。

「本当かどうかわからない。マルケスがぼくを懐柔するために嘘をついた可能性もある。ラテンのジョークかもしれないし」

「たしかに、あまりにもいい話すぎる」

そう頷いてから、伊庭はまた尋ねた。

「で、どうしておれに教えるんだ」

「おまえなら、嘘でも知りたいだろうと思った」

「当たり前だ」

伊庭は苛々と爪《つめ》を噛《か》んだ。

「それと知ってたら、第一と第二、死ぬ気で取りに行くんだった。あと、スプリント勝負になる可能性があるのは東京か」

特に激しい反応ではなかったが、伊庭が興奮しているのは伝わってくる。ぼくは念を押した。

「本当かどうかはまだわからないぞ。話半分に聞いてくれ」

「わかった」

伊庭は悔しそうな顔でぼくを見上げた。

「白石は今日アピールしたな。とことんついてやがる」

「マルケスを出し抜いたから、嫌われたかもしれない」

「まさか」

そろそろ山中さんが帰ってくるかもしれない。

「それだけだ。部屋に帰るよ」

「待てよ」

伊庭は立ち上がって、ぼくの進路を塞《ふさ》いだ。

「なぜ、おれに教えた」

「今言っただろう。伊庭が知りたいだろうと……」

「おれがどうとかじゃなくて、おまえが話す理由だ」

ぼくが話す理由。戸惑っていると伊庭がかすれた声でつぶやいた。

「おれなら絶対にだれにも話さない」

たしかに伊庭ならそうかもしれない。だが、ぼくは伊庭ではない。

「特に理由はないよ。ぼくだってもし声がかかればうれしいけど、それが無理ならチームメイトが行く方がうれしい」

そう言ってはみたが、どうも嘘っぽい。伊庭も納得していないようだ。だからこう言い直した。

「そうだな、厄《やく》落としみたいなもんかな」

第四章　富士山

第四ステージは、富士山での山岳タイムトライアルだった。

一日、移動日を挟むのは第三ステージと同じ。滅多に休養日のないヨーロッパのステージレースよりは、ずいぶん余裕のある日程だと言える。

だが、移動によって蓄積する疲労もある。普段だって、ほぼ毎日長距離を走っているのだ。一日自転車に乗れない日があると、調子が狂う。

スタート地点の近くに立てられたテントの下で、ぼくはウォーミングアップのため、ローラー台を回していた。

タイムトライアルは、普通のロードレースとはまったく違う。集団で走るのではなく、二分、ないし三分の間隔を空けてひとりで走り、そのタイムを競う。ロードのような駆け引きはなく、必要なのはたったひとりで走りきる力だけ。

正直、平地のタイムトライアルはいちばん苦手だ。ひとりで走っていると、先が見えないような不安に襲われる。だが、ヒルクライムなら、話は別だ。上り坂では、空気抵抗はあまり関係ない。集団で走っていたって、ひとりでいるのとほとんど同じだ。

ぼくの隣では、伊庭が険しい顔のまま、同じようにローラー台を回している。石尾さんを含む他の四人は、すでにスタート地点に向かっていた。

タイムトライアルでは、現在の総合順位の低いものから、スタートする。伊庭は今六位、そして、総合トップのぼくがいちばん最後に走る。番狂わせのせいで、オッジは新人二人が上位に残っている。石尾さんは二十位以下だ。

だが、タイム差はそれほど大きくはない。ぼくとマルケスだけが、少し引き離して三分近い差をつけているものの、それくらいは今日のヒルクライムと伊豆のステージで、簡単にひっくり返されてしまう可能性がある。

昨夜のミーティングの前、ぼくはたったひとり、監督に呼び出された。

「白石、明日はがんばれよ。もし、明日終わった結果、おまえの方が上位にいれば、伊豆では、ダブルエースという形で戦略を立てる」

監督は興奮を抑えきれないかのようにそう言った。

「冗談でしょう」

「冗談なものか。おまえならできる」

ぼくの返事を謙遜《けんそん》と受け取ったのだろう。監督は機嫌良く、ぼくの背中を何度も叩《たた》いた。

正直、ヒルクライムで、石尾さんと同じタイムを出すのは難しい。いくら、ぼくが山岳が得意だとしても、石尾さんにはかなわない。今までのアシストで蓄積した疲労も残っている。

だが、今は二分四十秒のリードがある。頑張れば、総合順位で並ぶくらいはできるかもしれない。

ぼくは、以前、ちらりと聞いた話を思い出した。言っていたのは山中先輩だったか。

――監督は、石尾さんを煙たがっている。

自分が就任する前からのエースで、発言力もあり、監督の言うことを素直に聞かずに自分の流儀を押し通す。エースとしては優秀でも、監督にとっては決して扱いやすい選手ではない。

――斎木監督が伊庭に甘いのも、自分の育てたエースが欲しいからだろうな。早く伊庭をエースにしたいんだろうよ。

山中先輩はそうも言っていた。伊庭も気難しい男だが、若いだけに監督にあまり強いことは言えないし、もしエースになるまで育ててもらえれば、そこに恩義や師弟関係も生じる。

少なくとも、今の石尾さんよりは手綱は握りやすいはずだ。

どうやら、斎木監督は、ぼくにもその可能性を見出《みいだ》して、舞い上がっているようだった。

ありがたいことだが、正直、少し迷惑だと思った。

そんなふうに言っておきながら、ミーティングでは、監督は一度もぼくに対して指示らしきものは出さなかった。石尾さんの目を恐れているのか、ぼくの顔すら見なかった。

ぼくは心で舌打ちをした。自己顕示欲の道具にされるのは嫌いだ。

陸上をやっていたときも、それが苦痛だった。なにも考えずに走りたいのに、ぼくが走ることにはいろんな複雑な意味がつきまとった。監督の自意識や出世欲、学校関係者も、ぼくが勝つことで、学校の名前が売れるとほくそ笑む。一度も話をしたことのない同級生ですら、ぼくが勝てば、それが自分の手柄であるかのように胸を張って、他校の生徒に自慢した。

もう、そんなことには心底うんざりしているのだ。

だから、監督がなんと言おうと、必死になるつもりはなかった。もちろん、手を抜くわけではないが、普段どおり走ればいい。そう考えていた。

今朝になるまで。

——ゼッケンナンバー41、チーム・オッジ、石尾豪。

石尾さんの名前が呼ばれた。彼がスタートする。

伊庭は小さく笑った。

「大将の出陣だ」

石尾さんが、このステージにかけていることは、なにも言わなくてもチーム全員が知っている。

伊庭は、足を止めると、ローラー台から降りた。

「じゃ、おれも行くわ」

まだスタートには少し間があるが、伊庭には少し、神経質なところがある。自分勝手に振る舞っているように見えても、時間には絶対に遅れないし、スタート地点にも余裕を持って向かう。

たぶん、必要なことと、そうでないことを頭の中ではっきりと分けているのだ。それが自分に必要だと思えばルールは簡単に破るが、時間に遅れて得をすることなど、ひとつもない。気の弱いハツカネズミみたいに、大人しくルールを守っているぼくとは、そういうところが違う。

伊庭がいなくなってしまうと、急に不安になる。

今まで、出走順位が最後になったことなど一度もない。スタッフも、追走車に乗っているか、スタート地点にいるか、どちらかだ。ぼくは、自転車から降りた。

「シライシ」

やや巻き舌で名前を呼ばれて、振り返る。そこにいたのはマルケスだった。

ぼくよりも早くスタートするはずなのに、缶コーラを片手に手を振っている。

「昨日はやってくれたな」

ぼくはどう返事をしていいのか迷い、ぺこりと頭を下げた。その仕草がおかしかったのか、マルケスはぼくのお辞儀を真似《まね》て笑った。

「昨日、おまえのチームメイトのアカギと話をしたぞ。スペイン語がうまいな」

そう言えば、赤城さんは若い頃、スペインのアマチュアチームで走っていたと聞いたことがあった。

「日本人のスペイン語はわかりやすい。おまえもやるといい。英語を喋《しゃべ》るやつらはスペイン語が下手だ」

「考えておくよ」

母音の強い発音が似ているのかもしれない。そういうマルケスの英語にも、日本人の英語に似た訛《なま》りがある。

ぼくはローラー台から自転車を取り外し、ボトルケージに新しいボトルを入れた。

「もう行くのか?」

「日本人はせっかちなんだ」

マルケスは呆《あき》れたように肩をすくめた。

サントス・カンタンのブースはスタート地点の近くにある。自然と一緒に歩くことになった。

「おまえのチームもリエージュ・ルクセンブルクに出場するようだな」

リエージュ・ルクセンブルクは夏に開催される欧州のレースだ。オッジの海外遠征の予定に組み込まれている。コンチネンタルのカテゴリだが、規模が大きいからプロコンチームもよく参加している。

「サントス・カンタンも?」

そう尋ねると、マルケスは頷《うなず》いた。

「おれが行くことになるかどうかはわからないが、また会えるかもしれないな」

メンバーに選ばれるかどうかわからないのは、ぼくも一緒だ。去年は選ばれなかったから、日本にとどまった。

チームバスの前でマルケスと別れ、ぼくはひとりでスタート地点に向かった。

今日走るコースの総距離は十一・四キロ。今まで一日で百五十キロ近くを走ってきたから、距離だけでいえば、十分の一以下だ。だが、ここは富士山だ。半端《はんぱ》なコースではない。

たしか、昨日試走したとき、石尾さんは四十二分ほどで、このコースを走り抜けた。ぼくは四十五分近くかかったが、多少、力は抜いていた。それは石尾さんも同じだろうから、本番にならなければ、どれだけタイム差がつくかはわからない。

石尾さんを負かそうなどと考えているわけではない。ダブルエースとして走りたいとも思わない。

それでも、意識せずに走ることは不可能だ。

じりじりと、スタート時刻が近づいてくる。

マルケスは、出走時間ぎりぎりにスタート地点にやってきて、流れるように出発していった。

ぼくも出走前のサインをして、スタート地点に着いた。

「ゼッケンナンバー45、チーム・オッジ、白石誓」

名前が読み上げられ、カウントがはじまる。

「3、2、1」

スタート。

ペダルを回した瞬間のわずかな抵抗感と、そしてその後の風に乗る感じはいつもと同じだ。

だが、この先はすべて坂道だ。風の力も、慣性の力も借りずに自力でペダルを踏んで上る。重力という最大の敵に挑み続けるのだ。

最初から飛ばしすぎてもいけないし、セーブしすぎてもいけない。呼吸をするようになめらかにペダルを回す。

ふいに、今朝の場面が頭に浮かんだ。

さっきから、無理に考えないようにしていた場面だった。自転車の上ではそんなことばかり考えてしまう。

今朝、朝食後、篠崎さんに呼び止められた。

手招きする表情から、いい話ではないな、ということは見当がついていた。彼は、ホテルの喫煙コーナーにぼくを連れて行った。もちろん、心肺機能がなにより大切な自転車選手で、煙草《たばこ》を吸う人間はいない。そこにはだれもいなかった。

篠崎さんは、あたりを何度も確かめて小声で言った。

「チカ、気をつけろよ」

「え？」

「調子に乗らない方がいいぞ」

そう言ってから、自分のことばがどう聞こえるのか急に気づいたらしく、篠崎さんは大きく手を振った。

「いや、嫉妬《しっと》して意地の悪いことを言っているんじゃない。真剣におまえを心配しているんだ」

「どういうことですか？」

「単なるステージ優勝ならいい。総合を狙《ねら》おうなんて考えるな」

篠崎さんは唇を舌で湿した。

「ステージ優勝なら、石尾さんは見逃してくれる。だが、あの人を怒らせると怖い」

ぼくは眉間《みけん》に皺《しわ》を寄せた。こういうときは、無邪気なふりをした方がより多くのことを聞き出せる。

「どうして石尾さんが怒るんですか？　喜んでくれてましたよ」

「表面上はな。だが、ずっとエースを張ってきた選手にはエースのプライドがあるんだよ」

「でも、どんなスポーツだってそうでしょう。いつかは後からきた人に追い抜かれていく……もちろん、ぼくがそうだと言っているわけではないです。ぼくが追い抜かなくても、必ず、後から出てきた若者が追い抜いていくんじゃないんですか。石尾さんだってそうやって、前からいたエースを乗り越えてきたんでしょう」

それはもうあらかじめ決められていることだ。自転車界のピークは、他のスポーツより遅いが、三十五を過ぎて、トップでいられるはずはない。

「理屈じゃなく、感情がついていかないんだよ」

篠崎さんは少し怯《おび》えたような顔で目をそらした。

「石尾さんは怖い人だ。それは知っておいた方がいい」

たしか、以前、赤城さんも言っていた。

——石尾は自分以外のエースを認めない。

「そんなふうには見えません。石尾さんはいい人だ。感情的じゃないし、頭も切れる。ぼくは尊敬しています」

「そう見えないから怖いんだよ」

篠崎さんは声をひそめた。

「もしかしたら、石尾さんも自分では気がついていないのかもしれない。三年前だって、事故と言い張った」

「事故?」

ふうっと息を吐いて、篠崎さんは話し続けた。

「三年前も、強い新人がいた。二十三歳か、そこらだったけど、圧倒的な才能の持ち主だった。あっという間に石尾さんを追い抜いてしまうと噂《うわさ》されていた。石尾さんだって、笑って彼の才能を認めていた。少しも腹を立てている様子はなかったんだ。表面上は」

「なにがあったんですか?」

「袴田《はかまだ》——そいつの名前だ。あるレースで、袴田と石尾さんが先頭グループに残った。コース的には袴田向きのコースだった。最後の山を登り、下りに差し掛かった。石尾さんはそこまで食いついていたが、残りのコースは平坦《へいたん》だ。この先は袴田に有利なことは目に見えていた。奴《やつ》は勝ちに行くと宣言していた」

ホテルの従業員が横を通り過ぎた。篠崎さんは、一度口をつぐんで、従業員をやり過ごした。

「その下りで、クラッシュが起きた。原因は、石尾さんが斜行して袴田の前に飛び出してしまったことだった。だが、場所が悪かった。S字形のカーブで、袴田は最短距離を行くために、ちょうどいちばん崖側《がけがわ》を走っていたんだ」

下りのカーブ。落車には最悪の場所だ。スピードは時速七十キロはくだらないだろう。ぼくは息を呑《の》んだ。

「落ちたんですか？」

「さすがにガードレールがあったからそれは免れた。だが、落車の反動で、袴田の身体《からだ》は数メートル飛ばされて、ガードレールに激突した。そのショックで背骨をやられた」

篠崎さんは吐き捨てるように言った。

「脊髄《せきずい》を損傷して下半身不随になった。今はもう車椅子《くるまいす》でしか生活できない」

はじめて知った事件だった。ぼくは呆然《ぼうぜん》と篠崎さんの顔を見た。

「もちろん、事故かもしれない。石尾さんは袴田に懸命に詫《わ》びていたし、その姿に不誠実なものは感じなかった。袴田は許さなかったらしいけどな」

一生を狂わされたのだ。それも当然だろう。

「おれが怖いと思ったのは、その後も石尾さんの走りが変わらなかったことだ。人をひとり、障碍者《しょうがいしゃ》にまでしたんだ。普通なら、怖いと思うだろう。おれなら、もう自転車に乗ることすら怖いと思う。事実、その事件の後は下りが怖かった。だが、あの人は変わらなかった。今までどおり、ぐんぐん前に出て、ブレーキもぎりぎりまでかけずに攻めながら下るんだ。それでわかった。あの人は礼儀正しく詫びたけれど、それだけのことで、本心では少しも恐ろしいことをしたとは思っていないんだ、と」

なんて答えていいのかわからなかった。だが、集合時間が迫っていることはわかった。

「篠崎さん、もうそろそろ行かないと」

ホテルの部屋に荷物を取りに行かなければならない。心の一部は衝撃を受けていたけれど、一部は冷めて、自分のやらなければならないことを考えていた。

篠崎さんは夢から覚めたように首を大きく振った。

「レース前に嫌なことを聞かせて悪かった。だけど、知っておいてもらいたかった」

ぼくは無理矢理に笑顔を作った。

「わかりました。篠崎さんのお気持ちはありがたく思います。でも、本当に事故だと信じたい気持ちもあります」

「ああ、そうだな」

「大丈夫ですよ。ぼくはそこまで強くない。一昨日だって単なるまぐれだ。今日も、そんないい成績が残せるはずはない」

篠崎さんは返事に困ったような顔で、ぼくを見た。

「だから、心配しないでください。行きましょう」

篠崎さんとはエレベーターを降りたところで別れた。部屋にはもう石尾さんはいなかった。少しほっとする。どちらかというとのんびりした人だけれど、今日はもう集合場所に行ったらしい。

荷物を取って部屋を出ると、ちょうど伊庭も出てきたところだった。彼はにやりと笑ってリュックを持ち上げた。

「篠崎さんに呼び出されてたな」

彼がそれを見ていたことに少し驚く。

自然とふたりで並んで歩く形になった。

「石尾さんは怖いって話だろ」

「どうして……」

「去年、おれもあの人から聞いた。胸くそ悪い話だな」

篠崎さんは、伊庭にも警告をしていたようだ。たしかに、数日前まではエースの座を脅《おびや》かすのはぼくではなく、伊庭だった。

「で、どう思う?」

ぼくの質問に伊庭は間髪を入れずに答えた。

「事故だろ」

きたエレベーターに乗り込んで、ロビー階のボタンを押す。

「たとえ、事故でなくても、同じことを二度はしないだろ。次は言い訳ができない」

「たしかに」

伊庭のあっけらかんとした物言いに、少し気分が楽になる。

「それよりも、タイムトライアルの朝を狙って、そんなことを言う篠崎さんの方が、性格悪いと思うね」

それに関しては、笑って返事を濁す。

人のことばの裏側を読むのは苦手だ。知らないですむなら、知らないままにしておきたい。

ドアが開く前に、伊庭は乾いた声で言った。

「なんにせよ、注意はしておいた方がいいかもしれないけどな」

「いいぞ！　そのまま行け！　いい感じだぞ！」

チームカーから、声がしていることに、やっと気づいた。

監督の声は、興奮のあまりうわずっていた。

タイムトライアルで、チームカーに後ろに付いてもらうのははじめてだから、すっかり頭から抜け落ちていた。チームカーがいれば、機材トラブルにもすぐ対応してもらえるが、車はたいてい二台。一台ということもある。普段なら、下っ端《したっぱ》のぼくなどには付いてもらえるはずはない。

気がつけば、三分の一ほどの距離をもう上っていた。喉《のど》が渇いていることに気づいて、あわててボトルを手に取る。

沿道には多くの観客が並んで観戦している。ときどき、ぼくの名前を呼ぶ声が耳に入る。

数日前までは、ぼくの名など知らなかっただろうに。

勾配《こうばい》がきつくなってくる。ぼくは尻《しり》を上げて、ダンシングスタイルに切り替えた。足を使う分、心肺機能を少し休められる。

また監督の声がする。

「調子いいぞ！　そのまま行くんだ」

もうチェックポイントは過ぎているから、だいたいの順位は出ているだろうに、それについてはなにも言わない。一位とは何秒差があるのか、そして、石尾さんとは。

知らない方がいい。知るとまた雑念が生まれる。

ただ、力の限りペダルを回せばいい。

前の方に、マルケスの姿が見えて、少し驚く。三分前にスタートしたのに、どうやら追いついてしまったらしい。

だとすれば、今までのぼくのタイムはきっと悪くない。いける。

どうしても石尾さんに勝ちたいとは思わない。ダブルエースなどと祭り上げられるくらいならば、ちょうどいいタイム差で負けて、二位に収まりたい。

そう思うのに、ペダルを踏む力は前と変わらない。なにかよくわからない衝動がぼくを突き動かしていた。

走りたい。上りたい。ただ、思う存分に。

次第に汗が噴き出してくる。一度尻を下ろして、筋肉を休める。

自然に笑みがこぼれた。

きっと、力を抜く必要などない。どうやったって石尾さんに敵《かな》うわけはない。ぼくにはそれほどの力はない。

この前の悪天候と正反対に、今日はからからの快晴だ。じっとりとした雨の代わりに、照りつける太陽がぼくを痛めつける。

おまけに今日は富士山だ。太陽をさえぎる林すらない。荒れた風景のなかをぼくは必死で走り続ける。

体温が上がっていくのがわかる。また水分を摂《と》り、空になったボトルを投げ捨てた。

このまま上っていけば、太陽に到達できるような気がする。

それとも、太陽に辿《たど》り着く前に、焼けこげて死んでしまうのか。

たしか、そんな神話があった。人工の羽根で空を飛び、太陽に近づきすぎて、墜落死したダイダロスの息子。

ぼくは唇を舐《な》めた。

それでも。

それでも、そこまでのぼれたイカロスは幸せだったのではないだろうか。

ヘルメットの中がひどく熱い。投げ捨てたい気分に駆られながら、ただひたすら上を目指す。

心拍数が上がる。上がりすぎる。だがそう思っても、ペダルを回す足は止まらない。

上半身と下半身がばらばらになってしまったようだった。

気の遠くなるような長い時間だった。後ろから聞こえる監督の声は、半分も耳に入らなかった。

あと一キロのゲートをくぐる。ぼくは最後の力を振り絞り、シフトアップした。

残っていたボトルも投げ捨てる。

あと少しで、ヘルメットを脱ぎ捨てることができて、この灼熱《しゃくねつ》から解放される。そう思うと、少しでも先へ進みたかった。

心臓が悲鳴を上げている。どくどくと自分の脈が耳の中で響いている。

上れ、もっと先まで。

ゴールの手前で、観客に混じる石尾さんが見えた。

彼の顔にはなんの感情も浮かんでいなかった。


優勝は石尾さんだった。

ぼくの順位は、五位。よく頑張った方だと思う。トップとのタイム差は一分五秒。

依然総合ではぼくがトップのままだった。二位が石尾さん。チーム・オッジが、一位と二位を独占した形になる。マルケスは十位以下まで順位を落とした。

その夜も、ホテルのレストランで祝杯をあげた。

一杯のグラスビールと、デザートに小さなケーキが出るだけの祝宴。たぶん、通りすがりの人が見れば、宴会だなんて思わないだろう。石尾さんの性格のせいか、うちのチームはあまり馬鹿《ばか》騒ぎをする方ではない。

それでも、交わされる会話は和やかで、だれもが普段よりもリラックスしていた。勝つべき人が勝ったという安心感。それは、一昨日の興奮混じりの祝宴とはまったく違うものだ。

もし、ここでぼくがもう少しタイムを落としていて、順位が逆転していれば、宴はもっと和やかだっただろう。そんなふうに考えてしまうのは、ひがみ根性が過ぎるだろうか。

だが、石尾さんの表情には陰はない。ぼくのタイムについても誉めてくれたし、牽《けん》制《せい》するようなことはなにも言わなかった。

篠崎さんが言うような人ではない。そう考えられればどんなにいいかと思う。

——そう見えないから、怖いんだよ。

篠崎さんはそう言った。それに関しては同感だ。本当に恐ろしい人は、一見そうは見えないものだ。

だから、ぼくは石尾さんを判断しかねている。

「すいません、ちょっとトイレ」

そう断って、席を立つ。なんだか、胸が重苦しくて、座っていられなかった。

用を足して出てきたとき、ちょうど監督に会った。ぼくの後を追ってきたのだ、とすぐに気づく。

「白石。部屋割りを変えるか？」

思いもかけないことを言われて、ぼくは戸惑った。

「どうしてですか？」

「石尾と一緒じゃ息が詰まるんじゃないか？ 変えた方がいいなら、赤城が代わると言っているが……」

「石尾さんが変えてほしいと？」

「いや、石尾は別に気にならないと言っている」

ぼくは笑った。

「ぼくも、別に気になりません」

嘘《うそ》ではない。石尾さんは部屋にはいるとさっさと寝てしまう。横でテレビを観《み》ようが、電話をしようが、目を覚ますことはない。気まずさを感じる暇もなかった。

ぼくの返事を聞いても、監督の顔は晴れなかった。

「明日からは部屋割りを再編成する。石尾とは別の部屋にするようにしておくから」

監督はそう言いきると、トイレに入っていった。

不思議だった。ぼくも石尾さんも気にならないと言っているのに、まわりは勝手に気を回す。ぼくはなにも変わらないのに、ぼくを見る目が変わっていく。

急に、テーブルに戻るのがいやになった。このまま部屋に戻ってしまいたいと思ったが、下っ端が黙ってそんなことをするわけにはいかない。一度レストランに戻る。

「すいません。ちょっと疲れたんで、もう部屋に戻って休みます」

口々に、「お疲れ」という声が返ってくる。テーブルを離れようとしたとき、石尾さんが立ち上がった。

「おれももう寝るよ。お疲れ」

どきり、とした。だが、決して不自然ではない。普段だって、石尾さんはいちばん早く部屋に帰り、いちばん遅く集合場所に現れる。

「お疲れ様です」

チームメイトたちは立って挨拶《あいさつ》をする。それを軽く手で制して、彼は歩き出した。

ぼくもチームメイトたちに頭を下げ、後を追った。

　ぼくだって、さほど長身ではないのに並ぶと石尾さんは頭ひとつ小さい。それなのに、威圧感を感じてしまうのは、チームでの力関係のせいなのか。

　エレベーター前まできて、石尾さんはやっと口を開いた。

「勝つ自信はあるか？」

「え？」

「明後日の伊豆、それから東京ステージまで一位をキープする自信はあるか？」

　ぼくは絶句した。そんなことを聞かれるとは思っていなかった。

　石尾さんは返事を催促するようにぼくを見た。

「……ありません。南信州のあれは、運がよかっただけです」

　それが正直な答えだった。

「今日も、正直なところ五位以内に入れるなんて考えていませんでした」

　今までのレースはずっとアシストとして走ってきた。山岳タイムトライアルでもここまでいい成績を残せたことはない。

「リーダージャージマジックだな。別に不思議はない」

　リーダージャージマジック。それは、それまでノーマークだった選手が、なにかの番狂わせでリーダージャージ——総合一位の選手が着るジャージを身につけると、それまでの成績が嘘《うそ》のように強くなることだ。

テレビでグラン・ツールを観ているときには、何度もその現象を目にした。だが、まさかそれが自分の身に起こるとは思っていなかった。

石尾さんが喋《しゃべ》ったのはそれだけだった。部屋に戻ると、さっさと顔を洗って歯を磨き、子供のようにベッドに潜り込んでしまった。三分もしないうちに規則正しい寝息がはじまる。

その寝息に、少しほっとした。もし、石尾さんがぼくに苛立《いらだ》ちを感じているのなら、こんなにすぐに眠りに就けるはずはないと思う。

すぐに眠る気にもなれず、窓際《まどぎわ》に立つ。

伊庭ならば、胸を張って、「勝ちに行く」と言うのだろう。

そう言いきることもできず、アシストに徹することもできない自分が惨《みじ》めだと思った。

第五章　伊豆

第五ステージの朝、コンディションは最悪だった。

部屋割りの変更で同室になった山中さんは、やたらにおしゃべりで、黙っている時間がほとんどない。しかも、ぼくが話を打ち切ってベッドに入ってからも、ずっとテレビをつけ、耳障《みみざわ》りな電子音をさせながら携帯ゲームをやっていた。

もともと、自宅でもぼくはほとんどテレビを見ない。音楽はときどき聴くが、オーディオをつけっぱなしにするのは嫌いだ。音に侵略されるような気がする。

だが、山中さんはむしろ、静寂を嫌うタイプのようだった。テレビをつけたまま、寝息を立て始め、たまりかねたぼくが、起きてテレビを消すと、寝ぼけた顔でこう言った。

「なんだよ。見てるのに消すなよ」

先輩だから口答えもできず、ぼくは素直に謝るしかなかった。

石尾さんと同室の方がよっぽど気楽だった。結局、眠りについたのは深夜二時をまわってからで、起きてからも、苛立ちがしこりのように胸に残っていた。

冷たい水で何度も顔を洗い、気持ちを切り替えて階下に降りる。

朝食のときから、かすかな違和感はあった。

監督と目が合い、挨拶《あいさつ》しようとしたとき、なぜか目をそらされたのだ。そんなことは今までなかった。

ミーティングが始まって、その理由がわかる。

今日の作戦を説明する監督の口からは、一切ぼくの名前は出なかった。

チームの作戦は、あくまでも石尾さんを一位にするということ。この前、監督が言っていたダブルエースという話はおろか、ぼくがどう走ればいいのかという説明すらなかった。

どこか醒《さ》めた気持ちで思う。

監督のダブルエースというプランを阻止したのはいったいだれなのだろうか。石尾さんなのか、それとも監督自身で決めたのか。

だが、それを知りたいわけではない。

それより、ぼくはどう走ればいいのか教えてほしい。自分の順位は捨て、石尾さんをアシストすればいいのか、それとも自分の順位を守り、石尾さんと共に表彰台に上がることを目指すべきなのか。

質問しようとしたとき、ふいに、向かいに座る赤城さんと視線が合った。

彼の目が、なにかを訴えていた。黙っているように、と言われた気がして、ぼくは口をつぐんだ。

ぼくの存在を完全に無視してミーティングは終わった。リーダージャージは、今、ぼくの手にあるというのに。

荷物を手にチームバスに向かいながら考えた。

どうしても、監督が石尾さんを勝たせたいというのなら、ぼくにアシストに徹するように言うこともできる。だが、そうは言わなかった。

自然にためいきが出た。

好きにしろ、ということだろう。

ぼくのような人間には、それが一番難しい。

スタートの合図とともに、集団が走り出す。

最初はゆっくり、次第に速度を速めながら、サイクルスポーツセンター内のコースを五周し、それから伊豆スカイラインへと向かうコース。後半の激しいアップダウンが、勝負の分かれ目だ。

リーダージャージを保持したチームは、先頭を引くのが暗黙の了解だ。自然と、オッジのメンバーが前方に集まる。エースの石尾さんだけが、中程で体力を温存する。

ぼくもとりあえず、前の方に出た。

ふいに、赤城さんに前を遮られた。

「おまえは引かなくていい。石尾にアクシデントがあったときのために、力を温存しておけ」

「わかりました」

なるほど、ぼくは予備の駒《こま》ということか。

珍しく、伊庭も先頭交代に加わっている。スプリンターでは、このステージは活躍できないから、素直にアシストに徹することにしたようだ。

周回コースをまわる間はレース展開は動かない。

レースが始まるのはスカイラインに出てからだ。ゴールまでに、三つの峠を越える。この登りで、選手は少しずつふるい落とされていく。平坦《へいたん》ステージのように、集団でゴールに飛び込むことなどありえない。

強いものだけが、最後まで先頭に残ることができる。

平坦コースと違って、山岳ではタイムにも大きな差ができる。山を制した人間が、総合でも一位を取る。簡単な図式だ。

ぼくは唇を舐《な》めた。

ぼくと石尾さんが優位なのは、自分から動く必要がないからだ。

総合成績が後ろの選手は、勝つために、自分からアタックをかけて、ぼくたちを引き離さなくてはならない。だが、ぼくたちは彼らのアタックについていくだけでいい。同じ坂を上るのでも、集団から自分の力で飛び出すことは、かなりエネルギーを消費する。

自分がどこまでついていけるかは、まだわからない。ぼくがうまくいっても、赤城さんの言うように、石尾さんの調子が悪くなる可能性だってある。

だが、もし、ふたりでそのままゴール近くまでいけたのなら。

――どうするよ？ 誓。

石尾さんに勝負をかけるのか、それともアシストらしく勝ちを譲るのか。

だが、自分ごときが、石尾さんに勝ちを譲ることの方が、おこがましく感じられるのもたしかだ。

行くしかないのだろうか。

ぼくは頭を振って、その考えを追い出した。

どちらにせよ、どこまでぼくが石尾さんを追えるかわからない。考えるのは、そこまで行けてからだ。

周回コースを出た集団は、最初の登りにさしかかる。

さっそく、足に重力がかかりはじめる。

平坦を走りきる力と、山を登るのに必要な力は、まったく別物だ。まるで、まったく別のスポーツのように、使う筋肉も、身体能力も変化する。平坦ではペダルは回すものだが、坂道になるとそれは、力を込めて踏むものになる。

上り坂になったとたんに、確実に一部の選手たちは遅れはじめる。身体《からだ》の大きな選手や、スプリンターたち。彼らはもともと山で戦うつもりのない選手たちだ。無駄な力を使わず、ただ制限時間内にゴールすることを目指す。

伊庭も今までなら、真っ先に遅れていた。だが、今日はまだ隣にいる。表情もさほどつらそうではない。

石尾さんがぼくを追い抜き、集団の前へと進んでいく。

横目で見た彼の顔には笑みが浮かんでいた。

根っからのクライマーだ。坂を上るのが楽しくて仕方がないのだ。筋肉と肺を痛めつけながら、山と格闘することを楽しんでいる。

ふいに、集団から、サントス・カンタンの選手が飛び出した。

ギアをチェンジしながら、先へ行こうとする彼を、赤城さんが追う。他の選手たちもそれに続いた。

彼のアタックはすぐに捕まえられた。

ゼッケンを確認する。161　フェルナンデス。

サントス・カンタンのエースだ。細い身体と、ふくらはぎの筋肉から、クライマーであることはすぐにわかる。総合順位もぼくらの次につけている。

早い。まだ最初の登りの半ばまでもきていないのに。それだけ、早く集団を絞り込むつもりなのだろう。

アタックがかけられると、集団は小さくなる。その動きについていけないものは、脱落していく。それを繰り返すことで、集団はどんどん消耗していく。

また別の選手が飛び出した。ベルギーチームのジャージだ。

今度はオッジの反応が遅れた。ベルギーチームのジャージはあっという間に離れていく。山中さんが必死で前を追うのが見えた。

嫌な予感がした。他のチームがアタックに反応しない。

――包囲網というわけか。

なんとしても、オッジを引きずり下ろさなければ表彰台には上がれない。他のチームたちの目的は同じというわけだ。

疲労した山中さんの代わりに、伊庭が前に出て、ベルギーの選手を捕まえる。

こんなことを繰り返されれば、あっという間にオッジのアシストは潰《つぶ》れる。そうなれば、石尾さんは一気に不利になる。

峠の半ばを越えたときだった。

石尾さんが振り返って、ぼくを見た。小さな声で、だがはっきりと言う。

「白石、食らいついてこい」

それと同時に、彼はシフトアップをした。

まさか、という思いは、彼の背中を見て確信に変わる。

アタックだ。総合二位で、一番の優勝候補が、自らアタックをかける。

石尾さんが飛び出すと同時に、集団の空気が変わった。

ほかの優勝候補たちが、必死に彼に続く。ここで引き離されては、勝負にならない。

ぼくも懸命にペダルを踏んだ。

石尾さんの速度についていけないものは、次々と脱落していく。

あっという間に先頭集団は三分の一以下に減った。オッジのメンバーで残っているのは、赤城さんと伊庭だけだ。

また、石尾さんがアタックをかける。

——本気なのか。

こんな時点から、単独勝負をかけるつもりなのか。

石尾さんの考えていることはわかる。包囲網を作られて、集団で潰されるくらいなら、実力のあるもの以外を振り落とし、あとは単独勝負に持ち込んだ方がいいということだろう。

だが、先はまだ長いのだ。自チームのアシストまで振り落として、この先行くつもりなのだろうか。

ひとつめの頂上が見える。

石尾さんの揺さぶりのせいで、先頭は十人ほどに激減していた。フェルナンデスや他の優勝候補たちは残っているが、アシストたちはみな、ほとんど振り落とされてしまっている。

赤城さんと伊庭も、少し遅れて必死で追いつこうとしている状態だった。先頭には
ぼくと石尾さんしかいない。
下りではタイム差がつきにくいから、何人かは追いついてくるだろう。
だが、峠はまだふたつある。
石尾さんはまだ笑っている。楽しくて仕方がないような顔に、背筋がぞっとした。
怖い、とすら思う。だが同時に考える。
これこそがエースの走りだ。ぼくなんか逆立ちしても敵《かな》わない。
頂上の山岳ポイントはもともと狙《ねら》っていない。他のチームに譲りながら、頂上のゲ
ートを越える。
下りになっても勝負は続く。
いかに効率的にカーブを曲がるか、いかに身体を小さくして空気抵抗を少なくする
かが、勝負の分かれ目だ。
もともと身体の小さい石尾さんは、サドルの上で身体を曲げてうまく下っている。
コーナリングも迷いがない。
ぼくもあとに続いた。下りはもともと好きだ。風を切る疾走感が心地いい。
どうやら、ぼくと石尾さん以外の選手は、あまり下りがうまくないようだった。少

しずつ遅れている。意外なところでタイムが稼げた。

この間に引き離したいところだが、下りの時間は短い。あっという間に、また次の峠がはじまった。

また有力選手たちが追いついてくる。全部で九人。だが、どの顔にも焦《あせ》りの色が見えた。

レースの主導権を握っているのは石尾さんだ。それは間違いない。

普通なら、ここまで絞り込まれるのは最後の上りでだ。他のチームが立ててきた戦略は、石尾さんひとりのせいで、粉々にされた。

もちろん、オッジの作戦もめちゃくちゃだ。見れば石尾さんは、無線を耳から外していた。監督のことばなど聞くつもりはないらしい。

なんとか、ここまでついてこられたのが嘘《うそ》のようだ。今までのぼくなら、間違いなく振り落とされていた。

やはり、リーダージャージマジックなのだろうか。

もう、ここからアタックをかけようとする選手はいない。ここまで絞られてしまえば、最後の上りに照準を合わせているはずだ。石尾さんも、ここでは動くつもりはないようだった。

流れはオッジに向いていた。その瞬間までは。

ふいに、石尾さんがペダルを止めた。手をあげて合図をしながら、集団から横にずれるように抜け出す。

メカトラブルのサインだ。ぼくは息を呑《の》んだ。集団にも動揺が広がったのがわかる。後ろを振り返る。オッジのチームカーの前には、三台、別のチームの車が走っている。

一瞬、迷った。ぼくはどうすべきなのだろう。

一緒に止まれば、先頭集団からは置いて行かれてしまう。総合成績を守るためには、ここで止まるべきではない。

だが、アシストなら。

アシストとして働くなら、ここでは一緒に止まり、彼をサポートして、先頭集団に戻すべきだ。

石尾さんと目があった。

もし、ここで、彼が「行け」と言うのなら。

だが、彼はぐいっと指を自分の方に曲げた。戻ってこいのサインだ。

ペダルから、シューズを外し、ぼくは地べたに足をついた。

先頭集団は、好機とばかりに速度を上げ、先に進んでいく。

「パンクだ」

石尾さんは吐き捨てるように言った。

やっとチームカーが上がってくる。メカニックたちが、積んだ予備の自転車を下ろそうとする。それを見て石尾さんは叫んだ。

「バイクは替えたくない。後輪だけ替えてくれ」

時間のロスを重視するなら、自転車を替えた方が早い。だが、予備の自転車はメインほど丁寧にポジショニングの調節をしていない。自転車を替えることで、そのあとの走りに悪影響が出ることもある。

メカニックがホイールを替えた。

石尾さんは、また自転車にまたがった。メカニックが彼の背中を押す。ぼくも走り出した。

ロスした時間は四十秒ほど。だが、山岳でのこの四十秒は命取りだ。

先頭集団の姿は先の方に見えた。なんとしてもあそこまで追いつかなくてはならない。

少なくとも石尾さんだけでも。

そう思った瞬間、ふいに霧が晴れた。思考がクリアになる。

ぼくは、石尾さんの前に出た。

シフトアップをし、ペダルに力を込める。

ぼくのゴールは、ゴールゲートではない。あの集団なのだ。

振り返って叫ぶ。

「引きます。ついてきてください」

石尾さんは頷《うなず》いた。

平坦ほどではないとはいえ、山岳でもアシストが前を引けば、後ろの選手は楽に走ることができる。力を温存することができる。

もし、ぼくがゴールまで行く力をすべて使って、あの集団まで行けば。

そう、それがぼくの役目だ。そのあとはすべてエースに託せばいい。

心拍数が上がるのもかまわず、ぼくは速度を上げ続けた。

あまり、急ぎすぎて、石尾さんを引き離してしまってはまずい。ときどき、後ろに目をやって確認する。彼は間違いなくついてきていた。

なぜだろう。ステージ優勝を決めた南信州よりも、タイムトライアルよりも爽快《そうかい》な気がした。

──おまえはそういうのが好きなんだな。

伊庭のことばが、ふいに頭に浮かぶ。ぼくは汗みずくになりながら笑った。

そうだ。ぼくはずっとこんなふうに走りたかった。

それなのに、自分を見失っていただけだ。

だんだん、距離が縮まってくる。当然だ。彼らはゴールまで行くつもりで走っている。

ぼくはそのつもりはない。だから力をすべて使う。あの集団に追いついたところで、ぼくの仕事は終わりなのだから。

「いいぞ、白石」

石尾さんが後ろからそう叫ぶ。ぼくは笑って頷いた。

先頭集団のしっぽが、だんだん近づいてきた。ぼくは最後の力を振り絞った。発射台だ。

心臓が割れるようだ。もう少しで先頭集団に手が届く。

石尾さんが、横に並んだ。ぼくの肩を軽く叩《たた》き、そしてペダルに力を込め、飛び出していく。

彼が先頭集団に追いつくのが見える。ぼくは大きく息を吐いた。

もし、力があれば、この先も石尾さんと一緒に走り、アシストすべきだが、残念ながらそれは無理そうだ。

上がりすぎた心拍数は、すでに限界だった。

これから先はゆっくり走って、制限時間内にゴールできればいい。

先頭集団はまた少しずつ離れていく。もうそれを追う理由はない。

総合優勝はもう手に入らない。だが、それを悔しいとは思わなかった。

これがぼくの走りだ。

幾人かの選手が、ぼくを追い抜いていく。まだ力を使い切ってない選手たちだ。

少し遅れて、後ろから赤城さんと伊庭が上がってきた。もともと、石尾さんのアシストとして山を得意とする赤城さんはともかく、伊庭がここにいるというのはかなり驚きだ。上位十五人くらいには入っているだろう。

少しつらそうに顔をしかめながら、伊庭が言った。

「なんだよ、なんでこんなところにいるんだよ」

ぼくは笑った。

「もう限界だよ。ここが実力だ」

赤城さんが目でついてくるようにと合図する。やり過ごすつもりだったが、それに甘えてぼくは彼らの後ろについた。急にペダルが軽くなる。やはり、ひとりで走るよりもずっと楽だ。

「石尾がパンクしたと無線で聞いた。それで足を使ったんだろう」

赤城さんにそう言われて、少し驚いた。キャリアが長いだけある。

「なんだよ、リーダージャージのくせにいいかっこしやがって」

「エースは石尾さんだよ」

それははじめからわかっていることだ。いや、はじめから決められていたから、それに従ったわけではない。

彼の走りを見て、本当にそう思ったのだ。

あのとき、一瞬だけ、「行け」と言ってくれなかった石尾さんを恨んだ。

だが、すぐに思い出した。ぼくが自分で彼に言ったのだ。

自分は東京までリーダージャージを守る自信はない。このステージで勝つ自信もない、と。

石尾さんには勝つ自信がある。だから、ぼくをアシストとして使い捨てた。非情かもしれないが、チームとしてみればそれは間違いなく正しい戦略だ。

ふいに、伊庭が舌打ちをした。

ぼくの前に飛び出す。

「今、前には何人いる？」

そう聞かれて、少し戸惑う。

「たぶん、十三人くらいだと思うけど……」

「おまえ、せっかく今一位なんだから、十位以内に入れよ」

赤城さんも頷いた。

「そうだ。ステージ優勝一回、総合十位なら上出来だ」

伊庭は速度を上げて、ペダルを踏む。山は苦手なはずなのに、まさかぼくのために順位を上げようとしているのだろうか。

彼は振り返ると笑った。

「おまえ言っただろう。自由な気がするって」

たしかにそう言った。自分の勝利ではなく、だれかのために走ること。それはぼくにとって、どこか自由の匂《にお》いがした。

「だから、一度、試してみる」

ぼくは息を呑んだ。

疲労はたしかに身体《からだ》の芯《しん》に蓄積している。だが、今彼らと一緒に走ったことで、少し回復したのも事実だ。

一位を狙うのは無理でも、あと数人追い抜くことならできるかもしれない。

息を弾ませながら、伊庭は言った。

「おまえ、暗峠《くらがりとうげ》で、すごい勢いで下っていっただろ」

思い出すが記憶にない。あのときは、だれにも合わせず、ただ自分のペースで下った。そんなことは滅多にない。さっきの下りも石尾さんに合わせた。

「あの速度で下れば、何人かは抜ける」

前を走っていたひとりの選手を、伊庭は追い抜いた。今度は赤城さんが前に出る。

ふたつめの峠の頂上が見えてくる。あそこを越えれば下り、そして最後の上りだ。

ゲートをくぐる瞬間、伊庭が言った。

「行けよ」

だから、ぼくは飛び出した。

伊豆ステージで優勝したのはフェルナンデスだった。

だが、石尾さんも五秒差の三位につけ、見事に総合成績でトップに立った。自転車競技には暗黙の了解のようなものがあり、総合を狙う選手が、ガツガツとステージ優勝までも取りに行くことは、あまり紳士的ではないとされている。

それを気にせず、積極的に勝ちに行く選手もいるが、少なくとも石尾さんはそういうタイプではない。フェルナンデスに負けたというよりも、あえて取りに行かなかったのだろう。

ぼくはなんとか総合八位に踏みとどまった。若手にしては上出来だ。

なにより、自分に「下り」という武器があることがわかった。

たったひとりで峠を下るのは、レースではほとんどはじめてだった。

まわりのペースも集団の動きも気にせず、ただ、身体を縮め、コーナーを曲がった。ブレーキなどほとんどかけなかったし、それが怖いとも少しも思わなかった。

ひとりで下っている限り、自分が早いのかどうかは、あまりよくわからない。だが、この下りで、ぼくはふたりの選手を抜いた。彼らはぼくに追いつくこともできなかった。それで気づいた。自分で思っていた以上に、ぼくは下りが得意だ。

下っている間、心拍数や足の疲れを回復させることができたのもよかった。

最後の峠も、へこたれずに上りきることができ、ぼくはなんとか十位でゴールを切ることができた。

ゴールゲートをくぐり抜けたとき、すでにゴールインしていた石尾さんが監督たちと一緒に駆け寄ってきてくれた。

「あれだけ働いて十位に入るなんて、よくやったじゃないか」

普段はあまり笑わない彼に笑顔でそう言われ、全身の疲労すら消えていくような気がした。

翌日の最終ステージは、平坦《へいたん》コースだから、ほとんどタイム差はつかない。これでオッジの総合優勝は決まったも同然だった。

ぼくは笑っていた。幸福だった。自転車をやって、よかったと思った。

頭の上の空は、高く、雲ひとつなかった。

インターバル

体育館に入った瞬間に、初野《はつの》香乃は足を止めた。

むせかえるような熱気に、一瞬、息を呑《の》む。

コートの中で男たちは戦っていた。車輪や身体《からだ》がぶつかり合い、激しい音をたてる。交わされる怒号のような合図。ボールは生き物のように彼らの間を跳ね回っていた。

しばらく呆然《ぼうぜん》と立ちすくんでいた。ここにくるまで、頭の中ですでにどんな記事を書くか、簡単にイメージを描いていた。それはすべて白紙に戻さなければならない。

ウィルチェアラグビー。障碍者《しょうがいしゃ》による車椅子《くるまいす》でのラグビー。

その名を聞いたとき、ハンディキャップを背負った人たちが、それでもスポーツを楽しむ姿を、心温まる記事にしようと思っていた。

だが、目の前で繰り広げられているのはそんな生易しいものではなかった。

近くにあった椅子に腰を下ろして、香乃は食い入るように見入った。

ホビースポーツではない。これは戦いだ。

車椅子は戦車のように突進しながら突き進む。その派手な音のせいで、普通のラグビーよりも荒々しい印象すら受ける。

しだいに、わくわくしてくる。香乃は身を乗り出して、練習試合を見つめた。

やがて、試合は終わり、選手たちはばらばらとコートから出て行きはじめる。ひとりの選手が車椅子を操りながら、こちらに近づいてくる。金色に脱色した髪、右肩に魚の模様のタトゥーが入っている。

香乃は立ち上がって、頭を下げた。

「どうも。初野香乃です」

「ああ、袴田一平です。こんな美人がいらっしゃるとは思いませんでしたよ」

彼はさらりとそんなことを言った。香乃はあまり自分の外見について言及されることが好きではない。それがたとえ誉めことばであっても。

そんな香乃ですら、聞き流してしまうほど気負いのないセリフだった。相当、女の扱いに慣れているのに違いない。

香乃は先ほどまで試合が行われていたコートに目をやった。

「すごかったですね。初めて見たんですが、圧倒されました」

「そうでしょう。障碍者のスポーツという目ではなく、普通に観戦に堪えるスポーツだと思いませんか？」

「ええ、とてもおもしろかったです」

香乃はまた椅子に腰を下ろした。座っている方が袴田と目の位置が近く、話しやすい。

「じゃあ、お話を聞かせていただいてかまいませんか？」

「どうぞどうぞ」

香乃はボイスレコーダーをまわすと、あらかじめ用意してきた質問を彼に投げかけた。

「まず、ウィルチェアラグビーをはじめられたきっかけは？」

「事故で脊髄《せきずい》を損傷しまして、下半身が駄目になりました。もともと、スポーツは好きで、事故の原因もスポーツだったんですが、こんな身体になっても、まだなにかやりたかった。ごく自然ななりゆきです」

メモを取る香乃の手が止まった。もちろん取材相手のことはくるまえに一通り調べてある。今の返答も予測していたものだ。

「サイクルロードレース……ですよね」

「ご存じでしたか。危険なスポーツですよ。まあ、ウィルチェアラグビーが危険でないというわけではないけど」

香乃の頭に、ひとりの少年の横顔が浮かぶ。いや、もう少年と言える年齢ではない。香乃と同じだから二十三歳。立派な青年だ。

だが、香乃の記憶の彼は十八歳で姿を止めている。ブレザーの制服を着た、少し幼げな顔しか思い出せない。

陸上ならそんな事故など起こらないのに、どうして彼は走るのをやめてまで自転車を選んだのだろう。そう思わずにはいられない。

「どうかしましたか？」

そう尋ねられて、香乃はあわてて笑顔を作った。

「幼なじみが今、ロードレースの選手をやっているんです。だからちょっと心配で……」

袴田の目が興味深そうに細められた。

「どのチームですか？」

「ごめんなさい。わたし、あまり詳しくなくて……」

「名前は？」

そう聞かれて香乃は少し驚いた。名前を聞いただけでわかるのだろうか。

「白石誓、と言います」

彼は息を吸い込んだ。

「驚いたな。ツール・ド・ジャポンでステージを取った期待の新人じゃないですか」

「彼、活躍しているんですか？」

そんなことも知らない自分が恥ずかしくなる。だが、スポーツニュースや新聞で結果が報道されるわけではない。どうやって彼の活躍を追えばいいのかもわからない。

「彼がいるのは、ぼくがもといたチームですよ」

「そうなんですか？　偶然ですね」

話を袴田のことに戻さなければならない。香乃はそう思いながらノートのページをめくった。まだまだ聞かなければならないことはたくさんある。

だが、彼はこう言った。

「いいことを教えてあげましょうか。その彼に教えてあげるといい」

「もう会っていないんです。中学のときの同級生というだけの話です」

そして、たぶんもう会うことはない。

「話を戻しますね。袴田さんにとってウィルチェアラグビーの魅力というのは

「……？」

その質問に彼は答えようとはしなかった。

「連絡を取った方がいい。その同級生の身を少しでも心配するんだったらね」

「え……？」

袴田は唇を歪《ゆが》めて、香乃の目を凝視した。

「彼もぼくと同じ目に遭うかもしれない」

第六章　リエージュ

狭い飛行機のシートで、ぼくは何度目かの伸びをした。

隣で映画を観《み》ていた伊庭が、ちらりとこちらに目をやった。

パリまで、ソウルでの乗り継ぎも含めて十五時間ほどのフライト。海外遠征もはじめてだが、ヨーロッパに行くのもはじめてだ。長時間じっとしているのは想像以上につらい。

しかも、目的地はパリではない。そこから列車に乗り換えて国境を越え、ベルギーのリエージュという街に向かう。スポンサーの都合でベルギーまでの飛行機が取れなかったらしい。

だが、初めてロードレースの本場、ヨーロッパのレースに参加できるのだ。それを思うと機内でも眠っていられない。

リエージュ・ルクセンブルク。ベルギーからルクセンブルクに向かう五日間のレースだ。

規模の大きいレースだから、うちのような弱小チームだけではなく、大きなチームもたくさん参加する。

毎年、リエージュ・ルクセンブルクに参加できるのは、チームの精鋭だけである。ツール・ド・ジャポンでのステージ優勝と総合十位で、ぼくもどうやら、そのひとりとして認めてもらったらしい。

伊庭は結局東京ステージを取ることはできなかったが、それでもそのあと、別の実業団レースで優勝して、充分石尾さんに次ぐエースとしての仕事をしている。ほかには赤城さんや篠崎さんなども参加していた。

伊庭がヘッドフォンを外して、乱れた髪を直した。ぼくの隣の席に目をやる。

「よく寝られるな」

心底感心したようにそうつぶやく。

ぼくの隣、窓際《まどぎわ》の席にいるのは石尾さんだ。席につくやいなや、毛布をかぶって寝てしまい、それっきり一度も起きない。機内食にも手をつけなかった。

「遠征の部屋でもこんな感じだよ」

「そういえば、おまえ、だいたい石尾さんと同室だったもんな」

よく同じ部屋になるとはいえ、石尾さんはいつもこうだから、じっくりと話をしたことなどない。

「行きの飛行機ではあんまり寝ない方が、時差ボケ対策にはなるんだが……」

伊庭はそんなことを言っているが、海外遠征の経験は石尾さんの方が遥《はる》かに多い。彼なりにわかってやっているのだろう。

はじめてのぼくは、まったく見当がつかず、どうしていいのかもわからない。

向こうに着いてからレースまでの間は二日間しかない。時差ボケを引きずれば、それだけでアウトだ。どうやって体調を整えればいいのだろうか。

もちろん、自転車レースの本場、ヨーロッパでオッジが勝てる確率は、かなり低い。だが、行くからにはたとえ低くても、それを狙《ねら》いたい。総合は無理でも、山岳ステージのどこかで勝利を取ること、それがチームの目標だ。

ふいに、石尾さんが身じろぎをした。毛布をずらして顔を出し、一瞬目を開けたが、そのまままた、窓の方を向いて毛布を被《かぶ》ってしまった。

「怖《こえ》え」

伊庭は軽く肩をすくめると、またヘッドフォンをつけて、映画に集中しはじめた。

ぼくは石尾さん越しに、窓の外に目をやった。白く濁ったような雲の中を飛行機は飛んでいた。

ツール・ド・ジャポンで、ぼくがステージ優勝を取ったあとも、石尾さんの態度はほとんど変わらなかった。むしろ、目をかけてくれていると感じることもある。

あの富士山での朝、篠崎さんに聞かされた話はずっと頭にあったが、そんな不穏な空気はまったく感じない。

だが、それは、ぼくが伊豆で、石尾さんのアシストとして自分の勝利を捨てて働いたからかもしれない。

あのとき、ぼくが石尾さんの合図を無視して、先に行ってしまえば、彼の態度は変わったのだろうか。

その疑問は、小さな棘《とげ》のようにぼくの中に存在している。

ぼくは深く息を吐いた。

いずれにせよ、ぼくはそちらの道を選ばなかった。思い悩むのは愚かなことだとはわかっている。

あの日、伊豆で、自ら飛び出していった石尾さんは美しかった。あの果敢なアタックに、魅了されないサイクリストなどいない。

だが、正直に言う。

ぼくはいまだに、彼のことがどこか怖いのだ。

海を越えると空気が変わる。

海外旅行の経験は何度かあったけど、それを今日ほど感じたことはない。ベルギーの空気は乾いていて、どこか砂の匂《にお》いがする。

日本の濡《ぬ》れたような空気とは、確実に違う。

ベルギーに着いた翌日、自転車の調整をして、トレーニングに出かけた。

ベルギーでは、自転車ロードレースは人気のスポーツだ。トレーニングの合間に休憩を取っていても、人々は興味深そうに話しかけてくる。

チーム名や名前も知らないはずなのに、写真を撮りたがる人もいて驚いた。

街中には自転車レーンが整備され、車や歩行者のことを気にせずに走れる。些細《ささい》なことだが、バックボーンの違いをまざまざと見せつけられた気がした。

競輪ならまだしも、日本ではロードレースを知る人すら少ない。

トレーニングを終えて、ホテルに帰ったのは夕方だった。

日本ではすでに真夜中のはずで、体内時計は微妙な違和感を訴えている。明後日までに体調が戻るのだろうか。

ホテルの部屋は、今回は伊庭と一緒である。参加選手が九人なので、石尾さんは一人部屋になっている。

夕食後、伊庭がマッサージを受けている間、ぼくはひとりで街に出た。ホテルの部屋は乾燥している。喉《のど》が渇いたときのため、ミネラルウォーターを買っておくつもりだった。

ちょうど見つけた小さな商店で、ボルヴィックの一・五リットルボトルとミントのタブレットを買った。店を出た瞬間、いきなりだれかが背中を強く押した。

「シライシ！」

巻き舌で呼ばれて振り返ると、マルケスが立っていた。数人の濃い顔をした男たちと一緒だ。よく見ればフェルナンデスもいた。

勢いよくハグされる。日本人はこういう状況に不慣れだ。ぼくはぎこちなく、マルケスの背中を叩《たた》いた。

「おまえはくると思っていたよ。ほかには誰が？」

「石尾さんと、赤城さんがきている。それと伊庭も」

「イバ？　そいつは覚えていないな」

エースである石尾さんや、ことばを交わした赤城さんのことは覚えていても、伊庭の名は記憶にないらしい。

サントス・カンタンの選手たちも、同じホテルに泊まっているという。

「ちょうどいい。部屋に遊びにこいよ。ちょっと話したいこともある」

「話したいこと?」

マルケスは一緒にいる選手たちに早口のスペイン語でなにかを告げた。彼らがどっと笑った。

時差ボケを引きずっている身体はもう眠りたいと訴えている。だが、話したいことというのが気になった。それに、スペインの選手たちと親しくなれる機会など、滅多にない。

マルケスはフェルナンデスと同室だと語った。

「フェルナンデスは、今回エースじゃないのか?」

「今回はロベルトだよ。うちの本当のエースだ」

ロベルト・ペロス。ブエルタ・ア・エスパーニャなどでも見たことがある有名選手だ。サントス・カンタンに入る前は、プロチームで活躍していた。ややピークが過ぎて、プロコンチチームへと移籍したとはいえ、ぼくにとっては雲の上の人であることには変わりはない。

「おまえのところのイシオを見ると、ロベルトを思い出す」

石尾さんに負けたことを思い出したのか、フェルナンデスは苦々しい表情でそう言った。彼の英語は訛《なま》りが強く、聞きづらい。

テレビで見たペロスは、小柄で浅黒い肌をした少し童顔の選手だった。アグレッシブな走りも、たしかに石尾さんに似ていた。

一緒にいたふたりの選手も、マルケスたちの部屋に一緒にやってきた。

ベッドに腰を下ろしながら、マルケスはにやりと笑った。

「実は禁制品があるんだ」

「禁制品？」

そう言われて一瞬緊張する。マリファナや、もしかするとドーピング用のドラッグかなにかかもしれない。ややこしいことには巻き込まれたくない。

だが、マルケスが紙袋からうやうやしく出したのは、茶色い瓶詰めのペーストだった。

「なに、それ？」

蓋《ふた》を開けると、選手たちはスプーンを手にその瓶に群がって、舐《な》めはじめた。

「ヌテラだよ。ヌテラ」

おそるおそる指で舐めてみると甘い。どうやらチョコレートのペーストのようだ。

「なんで、これが禁制品なの？」

「おまえらのチームでは禁止じゃないのか？」

「いや、そりゃあ、ドラッグやヤバイものなら禁止だけど……」

「ヌテラはうちのチームでは禁止だ。カロリー過多だから」

そういう意味か。ぼくは少し笑った。

「ヌテラが禁止されてないとは、天国のようなチームだな」

「日本人はもともと小食だからね。だから、どちらかというと無理に甘いものを食べてでも、カロリーを取らなきゃならない」

ぼくも、朝食には蜂蜜《はちみつ》やジャムを、必要以上にたっぷりとトーストに塗る。コーヒーにもたっぷり蜂蜜を入れる。でなければ、途中でカロリー不足によるハンガーノックを起こしてしまう。

マルケスはヌテラの瓶を、ほかの選手に渡すと、ぼくの隣に座った。

「あのステージ、泣けたぜ。リーダージャージを着た選手が、チームメイトのパンクを待って、アシストするなんて、こっちでもなかなか見られない」

「もともと、うちのエースは石尾さんだよ」

「それにしたって、リーダージャージを着れば気持ちも変わるし、欲も出る。アシストに徹しようという気にはなかなかならないさ。さすが、サムライの国だ」

「残念ながら、うちは由緒正《ゆいしょ》しい農家の家系だ」

その冗談はマルケスには通じなかったらしい。彼はそれを聞き流して、ぼくに顔を近づけた。

「うちの監督は、おまえのことを気に入ったらしい」

はっとする。マルケスは以前も言っていた。サントス・カンタンは日本人の選手を欲しがっている、と。

「とはいえ、まだ悩んでいる。今オランダのアマチュアチームにいる日本選手のことも気になっているようだ。だからおまえがこのレースにきたのは、チャンスだぞ」

「本当なのか、それは」

思わずそう尋ねてしまった。あまりに現実味のない話だ。ぼくが総合優勝でもしたのならともかく。

「嘘《うそ》だと思うのなら、監督に会ってみるか？　英語も話せるぞ」

返事に困る。会う、と言えるほど、自分に自信があるわけではない。

マルケスは、もう一度ヌテラの瓶をフェルナンデスから取り上げて、スプーンでひと舐めした。

「こういうことを言うのはなんだが。うちは生粋《きっすい》のスペインチームだからな。スペイン人はスペイン人以外のエースなんか見たくないんだよ。欲しいのはアシストだ。だから、監督はおまえの働きが気に入った」

「なるほどね」

スペイン人に限ったことではない。イタリアのチームではイタリア人エースが優遇される。フランスやドイツでも同じだ。もちろん例外もあるが、どの国のチームでもエースは自国民にしたいというのは本音だろう。スポンサーへのアピール度も変わってくる。その点、アシストは仕事ができればそれでいい。国籍にこだわる必要はない。

「だから、頑張れよ。勝つのは無理でもアピールする走りをすればいい。俺も推してやるからさ」

エースになりたいかどうかと聞かれれば、ぼくは返答に窮する。ツール・ド・ジャポンのときも、自分がエースの器ではないことを思い知らされた。

だが、サントス・カンタンで走りたいかという質問なら、間違いなく答えはイエスだ。もしそのチャンスがあるのなら、たとえどんな苦労をしても、ロードレースの本場で走ってみたい。

「できる限りやってみるよ」

マルケスはぼくに向かって右手を差し出した。ぼくはごく自然にそれを握った。日本では握手など滅多にしないのに。

部屋に帰ると、伊庭はノートパソコンでネットを見ていた。

コースプロフィールを確認する。やるのなら、第二ステージだ。

前半から勾配《こうばい》のきつい上りがあり、そのあと長い下りがある。後半ならば警戒される逃げも許してもらえる可能性が高い。

伊庭はパソコンから顔をあげてこちらを見た。

「遅かったじゃないか。なにしてたんだ？」

「マルケスに会ってた」

「サントス・カンタンの？」

彼の表情が変わった。パソコンを終了させて、椅子《いす》ごとぼくの方を向く。

「日本人選手の話はどうなった？」

「まだ探しているらしい。飛び出してアピールすれば、可能性はあるかもしれない」

彼は片足を椅子の上に載せて、爪《つめ》を噛《か》んだ。

「おまえに話すということは、欲しがっているのは山に強い選手なのか？」

「それは聞いていない」

「だが、ロベルト・ペロスはクライマーだ。必要なのは彼のアシストだろう」

「たぶんね」

彼は手を伸ばして、ぼくからコースプロフィールを取り上げた。

今回、スプリンターが活躍できるステージは第一と第五のふたつだけだ。だが、それにしたって、ライバルとなるのは超一流のスプリンターたちだ。伊庭が勝てる確率は少ないだろう。

「どこかで逃げる？」

「機会があればね」

伊庭はそのままなにも言わずに、考え込んでしまった。ヨーロッパのチームで走りたいのは彼だって一緒だろう。

ぼくはバスルームに入って、鏡で自分の顔を見た。

本場で走れることだけが、楽しみでやってきたリエージュ・ルクセンブルクだった。

だが、こんなチャンスが飛び込んでくるとは思っていなかった。

ツール・ド・ジャポンのときは、徹底してエースのために働くことが求められたが、今回ならば、少し暴走しても責められることはないだろう。石尾さんは優勝候補ですらない。

負けたって失うものはない。ならば、やってみるしかない。


翌日は雨だった。

自転車レースには雨天中止という文字はない。どんな土砂降りの日でもレースは開催される。トレーニングも行うが、明日からのレースに備えて、今日は軽めのメニューをこなした。

ホテルに帰ってきて、フロントでキーをもらったときだった。

ホテルマンが、フランス語でなにか言いながら、ぼくに一枚の紙を差し出した。開いてみて、息を呑《の》む。

「ごぶさたしています。ご活躍されているようですね。レースを観《み》に来ました。もしよろしかったら、一度連絡ください」

携帯番号が書かれているその次の行には、一日だって忘れたことのない名前があった。

初野香乃。

ぼくはその紙を握りつぶした。

なぜ、今頃、しかも日本から遠いこんな国で。

彼女の近況は知らない。知ろうと思えば調べることはできただろうが、もうぼくには関係のないことだと思っていた。

しわくちゃになってしまった紙をもう一度広げた。

頭痛がするようだ。今更彼女に会って、なにを話せばいいのだろう。

「なにぼんやりしてるんだよ」

伊庭が通りすがりにぼくの顔をのぞき込んだ。

「いや、知人がベルギーにきているみたいなんだ。伝言が入ってた」

「女？　美人だったら紹介しろ」

一瞬返事に困った。だが、単なる軽口だったのだろう。伊庭はぼくの返事も聞かずに行ってしまった。

ぼくはロビーにある公衆電話に近づいた。横にある販売機でカードを買い、電話に差し入れて、番号を押す。

「はい」

女性の声が出た。香乃かどうかは、声だけではわからなかった。

「あの……白石ですが……」

「チカ?」

声が急に懐《なつ》かしい響きを帯びる。間違いなく彼女だった。

「電話くれてありがとう。驚いたでしょう?」

「ああ」

驚いたよ。本当に。

きみには驚かされてばかりだ。

「もしよかったら夕食でも一緒にどう?」

「夕食はチームで食べるんだ。ミーティングも兼ねているから抜けられない。前か、後かだったら会えるけど」

「ちょっと待ってね」

彼女が電話を押さえて、近くにいる人間と喋《しゃべ》っている気配がした。

「じゃあ、これから行く。近くのホテルなの。十分もあれば行けるわ。そっちのロビーで待ってて」

「あ……」

ぼくが行くよ、ということばを口に出す前に、電話は切れた。相変わらずせっかちで、そして行動的だ。

ぼくはロビーのソファに沈み込んだ。

どんな顔をして彼女に会えばいいのかわからない。ひさしぶりの再会を喜べばいいのか、それとも冷静になった方がいいのか。

どんなふうに振る舞っても、それはぼくの本心ではないような気がした。

ちょうど十分後、グレーのスーツを着た女性が、ホテルに入ってきた。彼女だった。

髪を短く切って、ハイヒールで颯爽《さつそう》と歩いている。

昔のようなラベンダー色の口紅はつけていない。唇は抑えたピンクベージュで、それなのに、昔の彼女よりはずっと大人っぽい顔立ちに見える。

想像していたのとはどこか違う。だが、そこに立っていたのは間違いなく彼女だった。胸が痛くなるほどきれいなのも同じだ。

彼女はぼくに気づくと、笑顔で駆け寄ってきた。

「チカ、元気だった?」

「ああ」

高校を卒業してから会っていないので、五年になる。ぼくは大学から実家を出て、滅多に帰っていない。

ぼくをまじまじと見て、香乃は笑った。

「チカ、変わってないね」

「きみはきれいになったよ」

そう言うと彼女は小さく噴き出した。

「そんなお世辞が言えるようになるんだもんね。やっぱり変わってるか」

お世辞ではない。だがそういうのも妙な気がして、ぼくも笑った。

ホテルの隣のカフェに移動して、コーヒーを飲むことにする。彼女はやってきたウエイターにフランス語で注文を告げた。

ウエイターが行ってしまうと、香乃はテーブルに肘《ひじ》をついた。

「活躍してるんだってね。聞いてびっくりしたよ」

「そうでもないよ」

ツール・ド・ジャポンのことを言っているのなら、あれは運の要素が大きかった。

「あんなに陸上で強かったのに、止《や》めちゃったたって聞いて残念だったけど、やっぱり才能のある人はどこに行っても、なんかやるんだなって思った」

「そんなんじゃないよ。本当に活躍なんてしてないし」

彼女の目がぼくをまっすぐに見た。

「ね、陸上より自転車の方が好き？」

「ああ、好きだよ」

「そうなんだ」

なぜか、少し寂しげに、彼女はそう言った。

話を変えるために言った。

「香乃は今、なにをしているの？」

「あ、ごめん」

そう言って彼女は鞄《かばん》から名刺を差し出した。

「今はこんなことやっています」

そこには、大手新聞社の名前と記者という肩書きが書いてあった。優等生だった彼女らしい。

「新聞じゃなくて、週刊誌の方にいるんだけど」

「じゃあ、ベルギーへは仕事で？」

「両方なの。レースを観に来たのも本当」

笑う彼女を見ていると、五年の歳月など消えてしまったような気分になる。少しずつ、不安がほどけてくる。

彼女は、ふいにあたりを見回した。声のトーンを落として言う。

「ねえ、チカに聞きたいんだけど、チームの石尾豪ってどんな人?」

ちょうどウエイターが小さなカップのエスプレッソを運んできた。角砂糖を入れながら、答えた。

「まあ、無口で気難しいように見えるけど、実際にさほど口うるさいわけではないよ。勝利への意欲やプロ意識は一流だ。あと、すごくたくさん寝る」

最後の一言は冗談のつもりだったのに、彼女は笑わなかった。

「勝利への意欲って、勝つためにはなんでもするってこと?」

アルミの軽いスプーンで、エスプレッソをかき回しながら、彼女はそう尋ねた。

「どういうこと?」

そう尋ねたぼくの目を彼女はまっすぐに見た。

「わたし聞いたの。あなたのチームで三年前になにがあったか」

あの事故のことだ。たしか袴田という選手が、石尾さんのせいで大けがをした。

ぼくは動揺を隠すため、カップを口に運んだ。一口飲んでから答える。

「ごめん、そのことはあんまり知らないんだ。ぼくがチームに入る前だし」

「この間のレースも、本当はチカの方が勝ってたんでしょう。それなのに、パンクのせいで順位を落とすことになったって……」

いきなり矛先《ほこさき》が変わって驚く。あわててぼくは言った。

「勝ってたと言ったって、たまたまレース展開がぼくに有利に働いたというだけだよ。実力では石尾さんに敵《かな》わない。そんなんじゃないよ。パンクだって、レースには付き物だ」

「チカはやっぱり変わってないのね」

まるでためいきをつくように彼女はそう言った。

「どういう意味？」

「いい人過ぎるよ」

それは少しも誉めことばには聞こえなかった。

もうすでに混ぜる必要などないのに、彼女は音を立てて、カップの中をかき回す。

「石尾さんという人が、自転車のタイヤから空気を抜いているのを見た人がいるの」

「え……？」

戸惑うぼくを、彼女はどこか哀れむような目で見た。

「自転車なんてママチャリしか乗らないから、詳しくは知らないんだけど、ああいうスポーツバイクはデリケートなんでしょう。きちんと空気を入れていないとパンクしやすくなるって、聞いたことがある」

たしかにロードバイクのタイヤは、空気圧の管理が必要だ。乗る前には必ず空気を入れる。細いタイヤだから、適正な空気圧を保っていないと小さな段差や石ころでパンクしてしまうのだ。

「だから、石尾さんって人、もしかしたら、チカの自転車から空気を抜いて……それでパンクさせて順位を落とそうと……」

「ちょっと待って」

ぼくはあわてて彼女のことばを遮った。

「もしかしたら、きみは誤解してる。パンクしたのは、ぼくの自転車じゃない。石尾さんの自転車だ」

「え？」

ぼくはゆっくりと説明した。

「彼がぼくの自転車を弄《いじ》ったということはありえない。空気圧が適正かどうかは、乗った感触でわかる。ぼくの自転車にはおかしいところは少しもなかった。だから、もし、石尾さんが空気を抜いていたというのなら、それは自分の自転車だよ。空気圧は高すぎてもパンクの原因になるし、乗り心地が固く、つらくなる。だから、ただ調節していただけかもしれない。その後、また自分で空気を入れたかもしれないし」

香乃はまだ、理解できないような顔をしていた。

「でも、あなたの順位が落ちたのはパンクのせいだって……」

ぼくは首を横に振った。

「説明するのは難しい。石尾さんの自転車がパンクして、彼が先頭集団から遅れた。彼を先頭集団に戻すために、ぼくが彼の前を走って力を使った。そのあと、ぼくが脱落したから、そういうふうに言われたのだと思う。だが、パンクのせいで順位が落ちたというのは正しくないと思う。アクシデントがなくたって、ぼくがどこまでついていけたかはわからない。自分では難しかったと思う」

香乃は理解できないような顔をしていた。彼女の自転車ロードレースの知識はさほど深くないようだ。この説明では不十分だろう。

「どちらかといえば、ぼくが総合一位にいたことが、アクシデントみたいなものなんだ。その後のステージで順位が落ちていくのはだれもが予想していた。きみが思うような理由じゃない」

「そうなの……？」

ぼくは頷《うなず》いた。香乃は視線を自分の膝《ひざ》に落とした。

「ごめんなさい。変なこと言って」

「わかってくれたらいいんだ」

安心すると同時に思う。彼女にそんなことを吹き込んだのはいったいだれなのだ。

彼女はまた顔をあげた。その目には強い意志が感じられた。

「でも、三年前の事故の話は本当でしょう。彼のせいで、ひとりの選手の人生が狂わされた」

ぼくは首を振った。

「そのことについては、本当に知らないんだ。だが、ぼくは事故だと考えている」

彼女は返事をしなかった。だが、その目でわかった。きっとぼくのことを、お人好《よ》しだと思っている。

ぼくはいたたまれなくなって、時計に目をやった。

「ごめん。ミーティングが始まるからそろそろ行くよ」

「あ、ごめんなさい。気がつかなくて」

立ち上がろうとしたぼくを制して、彼女はウエイターを呼んで勘定を済ませた。慣れている、と思った。こちらではテーブルで代金を払うなんて、ぼくは知らなかった。

コーヒー代を払おうとしたが、自分が誘ったのだからと、彼女は受け取らなかった。こういうところは、昔から変わっていない。

「じゃあ、また、今度は日本で」

そう言うと彼女は首を横に振った。

「レースを観《み》に来たって言ったでしょ。最後まで観戦するつもり。またどこかでお茶でもしようよ」

また胸の奥がひどくざわついた。自分からは会いたいと言い出せないくせに、ぼくはまだ彼女と会えることをうれしく思っている。

「じゃあ、レース頑張ってね。応援してる」

彼女はそう言って歩き出した。

別れ際《ぎわ》に振り返らないところも、昔と同じだった。

深夜、ぼくは何度も寝返りを打った。

隣のベッドでは伊庭が静かな寝息を立てている。

明日はレースなのに、眠ることができなかった。気持ちに粘着質のなにかがまとわりついて、剝がれない。

——石尾さんという人が、自転車のタイヤから空気を抜いているのを見た人がいるの。

あのとき、香乃にはなんでもないことのように話した。だが、練習中ならまだしも、レースの最中はメカニックの人間がいる。選手がタイヤの空気圧まで管理する必要はない。

もし、彼女の言うことが本当なら。

そして、石尾さんが、ぼくがあのとき彼の言うことを聞いて、素直に待つことを計算に入れていたのなら。

何度も頭からその考えを振り払おうとした。普通にやっていても勝てるはずなどなかったと、自分に言い聞かせる。

なのに、生まれはじめた疑惑はぼくを苛《さいな》みはじめる。

考えたくはない。そんなこと考えたくはないのに。

ぼくは両手で目を覆《おお》った。意志の力で眠りの中に逃げ込めれば、どんなにいいだろう。

第七章　リエージュ・ルクセンブルク

自転車は新品のように洗い上げられていた。

昨夜のうちに、メカニックのスタッフが洗車しておいてくれたようだ。昨日の泥汚れなど少しも残っていない。

ぼくは慣れ親しんだサドルを撫《な》でた。

——今日もよろしくな。相棒。

ツール・ド・ジャポンのときも、この自転車で戦い抜いた。すでに身体《からだ》の一部のようなものだ。

マッサーの木村さんがスポーツドリンクの入ったボトルを配りにきた。一本もらって、すぐにそれに赤い印があることに気づく。

「これ、石尾さんのですよ」

「ああ、ごめん」

彼はあわてて、別のボトルと取り替えてくれた。

石尾さんは支給されているスポーツドリンクを嫌って、特別に紅茶に砂糖と塩を入れたものを好んで飲んでいる。正直飲めた味ではないから石尾さん以外に渡らないように、ボトルには赤いマジックで印をつける。

もっとも、そんなわがままが許されるのも彼がエースだからだ。

全員が揃《そろ》い、監督の前に立つ。

「今日は平坦《へいたん》ステージだ。狙《ねら》えるとしたら伊庭だが、体調はどうだ？」

話を振られた伊庭は、少し口許《くちもと》を歪《ゆが》めた。

「正直、あまりよくありません。勝てるものなら勝ちたいが……」

チームメイトたちが少しざわついた。いつも自信のある態度を崩さない伊庭にしては珍しい。

ぼくは眉間《みけん》に皺《しわ》を寄せた。部屋にいるときの伊庭は、普段より上機嫌に見えた。本当に体調が悪いとは思えない。

「そうか。なら、仕方がないな。今日はなるべく体力を使わないように集団内にいろ。勝負に出るのは明日以降だ」

監督のことばを合図に、みんな自分の自転車にまたがり、スタートラインへと向かう。ぼくは、伊庭の方を横目で見た。

表情は抑えている。だが、目だけがあきらかにぎらぎらとしていた。暗峠《くらがりとうげ》へ向かうときに見た顔と同じ。

——なにを企《たくら》んでいるんだ。

そう尋ねたい気持ちを飲み込む。きっと訊《き》いても彼は教えてくれないだろう。

スタートの旗が振られる。

最初から全力では走らない。ゆっくりペダルを回し、集団の速度に馴染《なじ》んでいく。

参加している日本チームはオッジだけ。他のチームにわずかだけ存在するアジア人選手もこのレースには参加していない。

まわりにいるのはほとんど欧米人ばかりだ。日本では平均に近い身長のぼくも、ここに混じれば小さい方だし、ただでさえ小柄な石尾さんはまるで子供みたいに見える。

なにより空気が違う。

国民性の違いだろうか。日本のレースよりもずいぶん、リラックスしたムードのなか、選手たちは走っている。

石尾さんは、顔見知りらしい選手とフランス語で談笑しながら走っている。

彼が英語だけではなく、簡単なフランス語も喋《しゃべ》れるということは、今回の遠征で初めて知った。

彼はずっとオッジに在籍していたから、赤城さんのように海外での選手経験はない。自分で勉強したのだろう。

決してそれは不思議なことではない。

サイクルロードレースの選手で、ヨーロッパで走りたいという夢を持ってないやつなどいるのだろうか。ロードレース界でフランス語は英語以上の公用語である。いつかチャンスがきた日のために。そう考えて学ぶ人間もいるはずだ。

野球選手がメジャーリーグに憧《あこが》れるのとはまた少し違う。

それはじりじりするような渇望《かつぼう》だ。日本ではまだレース数も少なく、大きなレースも数えるほどしかない。観戦者も少ないし、テレビやニュースで報じられることすらない。

だがヨーロッパでは違う。サッカーほどではないにしろ、自転車競技は間違いなく伝統のある人気スポーツだ。実力のある選手はスターとして崇《あが》められ、年俸は一億円を超える。

人気選手の名前はだれだって知っている。人々はレースに熱狂する。

確実に存在するヨーロッパとのレベルの差。

たとえ、日本で頂点に上り詰めたとしても、そこまでは手が届かない。そこにいたるまでは遥《はる》かな距離がまだ存在する。

ぼくは舌で唇を湿した。

もし、その可能性がわずかでもあるのなら、サントス・カンタンで走りたい。これを逃せば、もう二度とチャンスはないかもしれない。むしろ、その可能性の方が高い。

途中十人ほどの選手が逃げ、そこからもアタックがあるなど、レース展開はめまぐるしいものだった。

だが、ぼくたちはみな、集団後方で息をひそめ続けていた。体力をなるべく温存して、落車にも巻き込まれず、無事にゴールすること。ぼくたちの今日の使命はそれだけだ。

やがて、逃げていた選手たちはすべて吸収され、最後はゴール前スプリント勝負となった。

スプリントに参加するつもりのないチームは、混乱を避けて、後方でゴールする。集団から途切れずにゴールすれば、前方であろうと後方であろうとリザルトでは同じタイムになる。

ゴールゲートに入る緩やかな速度のなか、ぼくの目が香乃の姿を捉《とら》えた。

ここにいたんだ、と思うと同時に、ぼくは息を呑《の》んだ。

彼女の前に見たことのない日本人がいた。


ホテルに帰ると、ぼくは真っ先に香乃の携帯に電話をした。

「よかった。連絡くれて。これからホテルに電話しようと思っていたの。渡したいものがあって……」

屈託のない口調でそう言う彼女と、近くのカフェで会う約束をする。電話を切った後も、ぼくの鼓動は収まらなかった。

——どうしてなんだ、香乃。

彼女の前にいた男には見覚えはなかった。だが、彼がだれかは容易に見当がつく。

彼女は、約束の時間ちょうどにカフェにやってきた。ワインボトルを抱えている。

「これ、差し入れ。ベルギーにくる前、ブルゴーニュに行ってたの。そのとき取材したドメーヌで買ってきたワイン。おいしいから飲んでみて」

「……ありがとう」

少し困惑しながらそれを受け取る。石尾さんが厳しいから、アルコールは勝った日しか飲まないのだとは言えなかった。

「レース、どうだった？」

そう尋ねると彼女は首を傾《かし》げた。

「正直な話、一瞬だからよくわからなかった。気がついたら終わってた、という感じ。でも、やっぱり怖いと思った。あんな速度で互いに追い抜きながらゴールにつっこんでくるなんて……」

彼女の感覚は正しい。平坦ステージのゴール間際《まぎわ》では、高い確率で落車が起こる。スプリンターたちは、無我夢中でその狂乱の中に我が身を躍らせる。

「ごめんなさい。チカがどこにいるのかもわからなかった」

「ぼくはわかったよ。香乃がどこにいるか」

そう言うと、彼女の目が丸くなる。

「嘘《うそ》、あんな人混みの中で？」

「ゴールゲートに向かう右側、ゲートの少し手前にいただろう。違う？」

「……当たり」

欧米人の中で東洋人は目立つということもある。だが、きっとぼくの目は、どこにいても彼女を捉えるようにできているのだ。それはもうずっと昔、幼かったときから変わらない。今となってはそんなことも、ぼくを苛む。

その痛みに紛らわせるように言った。

「一緒にいたのはだれ？」

彼女の目がまた見開かれる。

「……一緒に？」

笑ったその目が、少し泳いでいた。それでぼくは気づく。

きみは今でも嘘《うそ》をつくのが少し苦手なのだ、と。

ぼくは重ねて言った。

「あの車椅子《くるまいす》の男性だよ。もしかして、袴田さんという人？」

その予想が突飛なものだとは思わない。彼女の前にいた車椅子の男は、二十代半ばに見えた。

彼女がふいに自転車レースとチーム・オッジに興味を持ち始めたこと。そして、三年前の事故のことを知っていて、それについて石尾さんに憤《いきどお》りを抱いているらしいこと。それが揃《そろ》えば充分だ。

彼女は小さなためいきをついた。

「チカには隠し事はできないわね」

そしてかすれた声で言った。

「彼が好きなの」

胸を鷲《わし》づかみにされた気がした。鈍い刺激が心に広がる。それが痛みだと自覚するのには時間がかかった。

ぼくは動揺を隠すために笑みを浮かべた。

「まだ高崎と付き合っていると思ってた」

「高崎くんとは大学生のときに別れたわ」

彼女は顔をあげてぼくを見た。心の底まで射抜かれるような視線だった。

「わたし、石尾さんという人のことが許せない。彼の人生をめちゃくちゃにしておいて、今も選手を続けているなんて……」

「香乃」

ぼくは彼女を遮った。

「きみも見ただろう。自転車レースはああいうものだ。どうやっても事故は起こる。石尾さんがわざとやったわけじゃない」

「でも、彼は袴田さんにエースの座を奪われそうだったんでしょう。だから、袴田さんを蹴《け》り落とした」

「ぼくはそうは思わない」

そう声に出して、そのあと気づく。本当に？　本当にぼくはそう考えていないのか。

彼女は激しく首を振った。

「彼自身にしか証明できないことだから、わざとじゃないと言い切るのは簡単だわ。でも、わざとじゃなかったのに、どうしてまだ平然と走れるの？　わたしなら走れない。チームメイトをあんな身体にしておいて、また自転車になんか乗れないと思う。チカなら乗れる？　走れる？」

ぼくは答えに詰まった。

そう、たぶん、ぼくももう走れない。その重さに耐えきれるほど、ぼくは強くない。

彼女は洟《はな》をすすった。

「……ごめんなさい。取り乱して」

「いや……いいんだ」

そうやって、感情を露《あら》わにする彼女は、ぼくの記憶の香乃とは少し違う。そして、彼女を変えたのは、たぶん袴田なのだ。愛する人のことだから、彼女はこんなにも取り乱している。

宙を仰いで思う。ぼくはいったい、何度きみに失恋すればいいんだろう。

「ごめん。ぼくはチームの一員で、彼のことを尊敬している。だから、きみに賛成はできない」

そう言うと、彼女は袖口《そでぐち》で涙を拭《ぬぐ》って頷《うなず》いた。

「わかった。もう、チカには迷惑をかけない」

そんなふうに、物わかりのいいきみのことが、ずっと好きだった。ぐだぐだと物事を引きずって、愚痴まみれにならない凛々《りり》しいところが。

ぼくは立ち上がって、彼女に言った。

「さよなら、香乃」

「さよなら」


ホテルに入ったところで、赤城さんとばったり会った。彼は笑っていた。

「美人と派手にやり合っていたな」

ぼくはあわてて言い訳する。

「幼なじみなんです。そういうんじゃないです。彼女にはちゃんと恋人がいるし……」

「そうらしいな」

そう言われて驚く。赤城さんは急に真顔になった。

「会話の内容まで聞こえたよ。日本語がわかる人間は少ないと思うが、それにしたってあんまり感心しないな」

「……すみません」

どこまで聞かれたのだろう。袴田のことか。石尾さんの起こした事故について話しているところもだろうか。

一緒にエレベーターに乗り込む。

楽になりたくなって、尋ねた。

「赤城さん。三年前の事故って、本当に事故なんですよね。石尾さんは、わざと袴田さんを巻き込んで、クラッシュしたんじゃないですよね」

赤城さんは冷ややかな目でぼくを見た。そして言った。

「わざとだよ。あいつはそういう男だ」

夕食が終わり、部屋に帰ってからも、ぼくの胸には激しい動揺が渦巻いていた。

理不尽なこととは思いながら、ほんの少し赤城さんを恨んだ。なぜ、そんなことはないと言い切ってくれなかったのだろう。

ベッドに寝そべったまま、ぼくは天井を眺めていた。

夕食の後もどこかに行っていた伊庭が、部屋に帰ってきた。

「お、このワインどうした？」

「友達にもらったんだ」

「開けないのか？」

そう尋ねられて、ぼくは初めて彼の方を見た。

「レース中に？」

ぼくの質問に、彼は呆《あき》れたように口を曲げて笑った。

「ワインを少し飲んだくらいで、レースに差《さ》し障《さわ》ったりしないだろ。石尾さんはなんでも神経質なんだよ」

そういえば、伊庭は酒豪だという話を聞いたことがある。焼酎《しょうちゅう》やウォッカなどをぐいぐい空けて、顔色ひとつ変わらないのだと。

石尾さんの厳しさについては、チーム内でもよく不満が出ていた。ビールの一本くらい許してほしい。そう考えている選手がほとんどだろう。

「ベルギーくんだりまできて、ビールも飲めねえんだもんなあ。やってられねえよ」

そう言う彼の声は心底残念そうで、ぼくは少し笑った。

「飲みたきゃ飲めよ。ぼくは別にいいから」

「いいのか？」

頷くと、彼は自分のバッグを探って、コークスクリューを取りだした。

「用意周到だな」

「ああ、こういうのがなくて飲めないっつーのが、いちばんくやしいんだよ」

「飲み過ぎるなよ」

「わかってるさ。明日は勝負所だからな」

ぼくは驚いて、身体《からだ》を起こした。明日は山岳だ。スプリンターである彼には関係ないステージのはずだ。

やるつもりなのだ、彼も。そう気づいた。だから今日、力を温存した。

あの伊豆のステージで、山でもそこそこ走れる自信がついたのだろう。明日逃げて、自分の存在をサントス・カンタンにアピールする。

一瞬、赤城さんから聞いたことを彼に話してやりたいと思った。

この胸苦しさを、伊庭にも押しつけてやりたい。

だが、結局ぼくは開きかけた口を閉ざした。

安易に真実を知ろうとしてしまったのはぼくの過《あやま》ちで、それは自分で引き受けるしかないのだ。

第八章　惨劇

起きたときには、伊庭はもう支度を終えていた。

香乃が持ってきたワインは、残り半分になっていた。ベッドから出て着替えながら尋ねる。

「ひとりで半分飲んだのか？」

「普段だったら、フルボトル二本くらいは空ける。これでも自重したんだ」

「へえ、すごいな」

バスルームに向かい、顔を洗う。胸の中にしこりはまだ残っているものの、昨夜はよく眠れた。時差のせいでの不快感も、少しずつ解消されてきている。

今日、少しは逃げて、存在をアピールすることはできるだろうか。

「うまいワインだったぞ。おまえも飲めばよかったのに」

「そのうちね」

もし、今日満足のいく走りができたら、夜に祝杯をあげてもいいと思う。

着替えてバスルームから出る。髭《ひげ》を剃《そ》っていると、鏡越しに伊庭と視線があった。

たぶん、彼も今日仕掛けてくる。明日以降の山岳はヘビーで、伊庭には無理だ。どちらが勝つか、ではなく、どちらが存在を示せるかという勝負。マルケスのことばを信じれば、ぼくが一歩リードしているようだが、今日次第ではひっくり返されても不思議はない。伊庭にはリザルト上の実績がある。それを知れば、ぼく以上に魅力的な人材であることに間違いはない。

ぼくは目を閉じて、彼の視線をやり過ごした。

彼に負けたくないと思うのも、負けられないと思うのもはじめてだった。


スタートの合図とともに、集団が走り出す。

ぼくは息を詰めて、その速度に乗った。飛びだそう、と思っていることは、チームメイト以外にはさとられてはならない。気配を殺して少しずつ前方へと位置を進めていく。

逃げてみたいのだ、とは、ミーティングのときに話してある。サントス・カンタンのことはもちろん言っていないが、若者が初の海外遠征で血気にはやっていると思われたのだろう。監督は笑って許可をくれた。伊庭はそんなやりとりを見ても、ただ黙っているだけだった。

今日のステージは細かいアップダウンが多い。石尾さんは、明日以降の本格的な山岳に向けて、体力を温存するつもりだと言っていた。

「頑張れよ。もし、今日、山岳ポイントをある程度獲得できれば、表彰台《ポディウム》も夢じゃないぞ」

石尾さんはそう言ってくれた。

山岳ポイントというのは山岳ポイント地点を越えた順位によって与えられるポイントで、最終的にこれをたくさん獲得した人間に山岳賞が与えられる。ほかにもスプリントポイントなどがレースによって設定され、総合順位以外にも、それを狙《ねら》って戦いが繰り広げられる。

今日獲得できる山岳ポイントなど微々たるもので、最終的な山岳賞はとても無理だが、それでも毎日、その時点でのポイント最上位が表彰台に上がれる。序盤に活躍することによって、若い選手にもその栄誉のチャンスがあるというわけだ。

伊庭がぼくの後ろに、ぴったりくっついている。一緒に飛び出すつもりだろう。

同じ山でも、風景は日本の山とは違う。斜面がきつく、緑の色も濃い。よそよそしく感じるのは、ぼくが異邦人だからか。

最初の上りに差し掛かる。この程度の上りならば、脱落者は出ない。集団はそのまま進んでいく。

ふいに、前方にいた選手が飛び出した。アタックだ。

ぼくもペダルに力を込めて、その選手の背中を追う。伊庭も続いた。

ぼくたち以外にも、三人ほど選手が一緒にアタックについてくる。六人の逃げ集団が形成された。

集団は、無理にぼくたちを追おうとはしなかった。

逃げられた、というよりも、逃がしてもらったというのが正しいだろう。逃げ集団が存在することで、レース展開が安定することもある。知らない選手がほとんどだが、ゼッケンナンバーを見る限り、エース格の人間はここにはいない。優勝候補にとって、脅威となる逃げではない。

だが、ぼくと伊庭にとっては、別の意味で大きい勝負だ。

ほとんどの選手は山岳ポイントを狙っている。ぼくももちろん狙いたい。

ゲートが近づくまでは集団で、順繰りに先頭交代を続けた。

山頂まであと百メートルとなったとき、ひとりの選手が先に飛び出した。それを合図に協力態勢は崩れた。だれもが先にゲートをくぐるために、苛烈《かれつ》な位置取りが行われる。

ゲートをくぐる。一位は取り損ねたが、その次で通過できた。悪くない。二位と一位のポイント差はわずかだから、次で一位を取れば挽回《ばんかい》できる。

下りに差し掛かると、ぼくは真っ先に飛び出した。身体を縮めて、神経をコーナリングに集中する。

伊庭はちゃっかり、空気抵抗を軽減するためにぼくの後ろについてきていた。だが、下っているうちに自然と距離が開く。

時速は八十キロを超えているはずだ。風と一体になる。

ここで引き離すことは、戦略的にはあまり意味がない。六人ならこの先も一緒に行った方が楽に逃げられる。

だが、一時的にでも単独で先頭を走ることは、強烈なアピールになるはずだ。

無線を通して監督が叫ぶ。

「気をつけろ！　無理をするな！」

端から見れば危なく見えるのだろうか。自分では少しも危ないと感じない。気持ちは落ち着いているし、どんなふうにラインを取ってカーブを曲がればいいかも、頭の中で明確だ。

下り終えるとぼくは監督に尋ねた。

「タイム差は！」

「逃げ集団からは三十秒離した。集団《プロトン》には三分差がついている」

三十秒。きっと振り返れば見える程度の距離の差だ。だが、このまま行ってみたいと思った。

ふたつめの上りは、ひとつめより急だ。うまくいけば、ここでもタイム差が稼げるかもしれない。

ぼくは坂を上りはじめた。監督の声が言う。

「伊庭を待て。彼も追いついてきている」

――冗談でしょう。

ぼくは心で笑った。今、ぼくが戦っているのは伊庭である。

あえて、聞こえなかったふりをした。ずっと優等生で通してきた。一度くらい羽目を外したってかまわないだろうと思う。

リズミカルにペダルを踏み続ける。調子は悪くない。なにもかもがクリアだ。

視界も、頭も、呼吸も。

ちらりと後ろに目をやった。五人の選手たちの姿はまだ見えるが、少し距離は開いた気がする。

このまま単独で山頂ゲートをくぐれば、さぞ気持ちがいいだろう。

風が日本よりも乾いていて、それが心地いい。かいた汗もすぐにさらりと蒸発していく。

シッティングのまま上り続ける。山頂まであと一キロの表示を見てから、尻《しり》を上げた。ダンシングに切り替わると同時に速度も上がる。

後ろに目をやる。ふたり脱落している。

白いオッジのジャージはまだ、そこにいた。少し驚く。

伊庭がここまで食らいついてこられるとは意外だった。ぼくにとっては、願ってもないコースだが、彼にとってはそうではない。

やはり、すごい。素直にそう思う。

道路際《ぎわ》の観客が声をあげて応援してくれている。見たこともない東洋の選手を。そう思うとよけいにアドレナリンが放出された。

次の山岳ポイントを取って、下りでもう少し引き離した後は、様子を見ながら後ろの逃げ集団と合流してもいい。メイン集団とのタイム差は、四分しか離れていない。

ゴールまでひとりで逃げ切ることは不可能だ。

ふいに、ぼくの目が観客の中から、車椅子《くるまいす》の日本人を捉《とら》えた。袴田だ。

香乃は近くにはいない。どこに行ったのだろう。

だが、彼らを意識したのは一瞬だった。ぼくの目はまた、先に見える山岳ポイントゲートのみを見据える。

無線の声が言った。

「後ろが追い上げてきているぞ。油断するな」

「わかりました」

ちらりと目をやると、伊庭を含む三人の姿がすぐ後ろに見えた。タイム差は十数秒というところだ。

速度を上げ、ぼくはひとりで山頂ゲートをくぐった。

また下りに入る。ここでまた引き離せる。

無線からまた監督の声がする。

「石尾の調子があまりよくない。ふたつめの上りで遅れているようだ。伊庭と協力して、できるだけ先まで逃げろ」

あの程度の上りで石尾さんが遅れるとは珍しい。目に見えない不調を抱えているのかもしれない。

次の山岳ポイントも独走して取れればいいのだが、さすがにそれは厳しそうだ。ぼくは速度を落として、後ろからくる三人を待った。

合流する。伊庭が爛々《らんらん》と光る目で笑った。

「やってくれたな」

「おまえもここまでついてこれるとは思わなかったよ」

「俺もだ。意外にイケてる」

そう自分で言って、彼は笑った。

下り終わると、しばらくは平坦《へいたん》が続く。一緒に走ってみると、伊庭を含めた三人が、予想外に疲労していることに気づく。メイン集団に追いつかれるのも時間の問題かもしれない。

ぼくも独走で逃げ切れるほど体力が残っているわけではない。今日の仕事はもう終わりだ、そう思ったときだった。

無線で監督が叫んだ。

「伊庭、白石、止まれ！」

ぼくはイヤフォンに手を当てた。聞き違いかと思った。レース中、止まれという指示が出されることなどない。

「戻ってくるんだ。今すぐ！」

「どうしてですか！」

「石尾がクラッシュした」

隣で伊庭が叫んでいた。

「だからって、どうして戻らなければならないんですか！」

ほかの選手たちも、驚いたようにぼくらを見ている。

ぼくは、ビンディングを外して地面に足をついた。そのまま自転車をUターンさせる。

「おい、白石！」

伊庭が呼ぶのもかまわず、今きた峠に向かって走り始めた。

たとえどんなスターが落車しようが、それで、どんな大怪我《おおけが》を負おうが、それでレースが中断することなどない。自転車レースは、選手たちの血と咆哮《ほうこう》の上に成り立っている。

もし、先を走る選手を戻らせる――レースを中断させるような事件があるのなら、それはたったひとつしかない。

無線はそれ以上答えない。たぶん、今はぼくたちにかまっていられる状態ではないのだろう。

ほかの選手たちは、まだ事態を把握していないのか、ぼくに続こうとはしなかった。

伊庭も同じだ。

ぼくは今下りてきたばかりの坂を上りはじめた。最後の体力を振り絞って。

ぼくの推測が誤りであればいい。なにか別の事件が起こったのであればいい。

心の底からそう願う。

空は青く、雲ひとつない。

坂の中程で、集団が止まっている。チームカーもすべて止まっている。

絶望が胸を衝《つ》く。きっと、ぼくの予感は正しい。

ぼくは自転車から飛び降りた。自転車はその場に投げ出す。

そして自分の足で走る。

頼むから。頼むから、別の事態であってほしい。

ぼくは選手たちをかき分けた。

こんなに人が群がっているのに、そこだけ大きな空間が空いていた。

暑さで溶けたアスファルトに、赤い血が池のように広がっていた。坂の傾斜に沿って、少しずつ下に向かって広がっていく。

彼は、崖《がけ》の手前にあるブロックの上に頽《くずお》れていた。

白いジャージはすでに、半分以上血に染まって、細い腕がだらりと垂れていた。

駆け寄ろうとした腕を、きつくつかまれた。振り返るとひどく青ざめた監督がいた。

「もう、無理だ」

それは見ただけでわかった。顔がブロックの上でひしゃげ、首があらぬ方向に曲がっていた。

レースの中断に値するたったひとつの事故。

それは、選手の死だ。

ぼくは叫んだ。

「なぜ！」

「下りで彼は遅れていた。それで焦《あせ》ったらしい。ブレーキ操作を間違えて、前輪がロックされた」

それで自転車ごと身体《からだ》が投げ出され、頭からブロックにつっこんでしまった。

いくらヘルメットをかぶっていると言っても、顔面は無防備だ。顔からつっこんでしまえば、かばうものはなにもない。

すぐそばに、彼の自転車が投げ出されていた。フォークが折れ、前輪のスポークが激しく歪《ゆが》んでいる。ボトルも歪んで、そばに水たまりができていた。

どれほどの衝撃で彼の身体が投げ出されたのか、それを見ただけでわかった。

もう一本のボトルが、近くに転がっていた。ぼくは手を伸ばして、それを拾った。

ポリエチレンの手触りの軽さ。掌《てのひら》に伝わるのは、中身の水の重さだけだ。

ヘリコプターが近づく音が聞こえてくる。次第に大きくなっていくその音を聞きながら、ぼくはなすすべもなくその場に立ち尽くす。

怒声やプロペラの音、カメラマンたちのシャッター音が絶え間なく鳴り響いているのに、なにひとつ、それはぼくの心には届かない。

ぼくはその場に静かに膝《ひざ》をついた。

どうすれば、この結果を避けられたのだろう。こんな光景を見ずに済んだのだろう。

考えてはみるけれど、その答えは見つからない。

アスファルトについた手が焼け付くように熱い。

その熱さが語っていた。

これは夢ではないのだ、と。

即死だったと聞いたのは、その日の夜だった。

それが救いになるのかどうかはわからない。ただ、残されたものはそんななかからでも、必死に救いを探し出すしかないのだ。

レース中の事故で死人が出たときの判断はだいたい似ている。

その後のレースは中止、賞金はすべて遺族に渡されるということだった。石尾さんは結婚していない。両親ももう亡《な》くなっているから、遺族は彼の姉だけという話だった。

帰国する途中、ぼくたちはほとんどなにも喋《しゃべ》らなかった。

今、ぼくの心を埋め尽くしているのが、悲しみかどうかすらもわからない。たった一滴の涙すら流さなかった。悲しみではないのかもしれない。

だが、この暗く深い喪失感をどうすればいいのだろう。

悲しみなら、まだ泣き叫ぶことで表現できる。

悲しみですらない感情を、人はどうやって処理できるのだろう。

第九章　喪　失

葬儀が行われたのはひどく蒸し暑い日だった。

あの事故が起こった日の乾いた空気を思うと、世界はどこかでバランスを取っているのだという、妙な思いこみにとらわれてしまう。

いつもはジャージ姿しか見たことのない赤城さんや伊庭や、ほかのチームメイトたちが喪服姿で並んでいる。その光景に違和感を感じずにはいられないけれど、一方でなにが起こってしまったのか、やっと本当に理解できたような気がする。

石尾さんはもういない。

理屈ではわかっていたけれど、昨日まではどこか別世界の出来事のようだった。チームハウスに行けば、彼はいつもの仏頂面《ぶっちょうづら》で自転車を弄《いじ》っているような気がしていた。

だが、今はわかる。彼はもうこの世にいないのだ。

顔は見せてもらえなかった。骨が粉々に砕けていたというから、とても人前に出せる姿ではなかったのだろう。

当たり前だが、親戚《しんせき》や高校時代の同級生など、自転車に関係ない人間もたくさん葬儀には出席していた。なんとなく、彼には自転車以外の世界は存在していないように思いこんでいた。

彼が自転車をなにより愛していたことは疑うべくもない。その愛する自転車に殺されたことを悔やんでいるのか、それとも自転車レースで死ねたことを本望だと思っているのか。決して答えが出るはずのない問いを、ぼくは心で繰り返していた。

昨夜、香乃から電話があった。

「わたしに、こんなことを言う権利はないのかもしれないけど……元気出してね」

壁にもたれて携帯を耳に当てながら、ぼくは乾いた声で答える。

「ああ、大丈夫だよ。香乃」

そして尋ねた。

「きみは事故を見たの？」

できれば彼女にはあんな無惨《むざん》な場面は目にしてほしくない。

「見てない。実はあの日、仕事が入っていたからレースには行かなかったの」

「袴田さんはきていた。車椅子《くるまいす》なのにひとりで移動を？」

「ちょうど、前日のレースを見ているとき仲良くなったベルギー人が、一緒に車で山頂まで連れていってくれるという話になったの。だから、その人たちと一緒に……。でも事故の瞬間も、事故現場も見ていないって言ってたわ。事故の話は聞いたけど、山頂から通行を禁止されて行けなかったんだって」

あの事故が起こったのは下りだった。危険だから下りでの観戦は許可されていない。事故が起こった後も、運営スタッフが観客を通さなかったのだろう。

彼女がぽつりと言った。

「彼も、すごくショックを受けてる」

それを聞いて、少し驚いた。恨んでいた人間が死んだのだから、むしろ晴れ晴れとした気分でいるような気がしていた。

だが、実際にはそんなものなのかもしれない。

「夜中に泣き叫ぶような声をあげたり、ひどくうなされたり……車椅子でのラグビーをやってたんだけど、それにも行かなくなっちゃった」

彼女は寂しげにつぶやいた。

「もしかしてあの人を憎むことが、彼のエネルギーだったのかもしれない」

喪失感を抱えている人間が、ここにもいた。

葬儀が終わり、チームメイトたちやスタッフたちと一緒に葬儀場を後にする。

ふいに、山中さんが口を開いた。

「篠崎は今日きていないんですか？」

そう言われて初めて彼がいないことに気づいた。

監督が答える。

「篠崎からは、もうチームを辞めたいという連絡があった。遠征にも同行していたし、かなりショックを受けていたようだ」

「それでも葬儀くらい出てくればいいのに……」

まだ、彼の死を受け止めることができないのかもしれない。

祖母や祖父、そして癌《がん》で死んだ叔父の葬儀には今まで出たことがあったが、どれも今日ほど悲痛ではなかった。それなりに死を覚悟し、受け入れる過程があっての葬儀と、若くして唐突に逝《い》ってしまった人の葬儀がこれほど違うなんて、考えたことがなかった。

葬儀場の前で、監督やスタッフたちに別れを告げて彼らを見送る。

自分たちも帰ろうとしたとき、ふいに今まで黙っていた赤城さんがぼくと伊庭を呼び止めた。

「そこの若者ふたり、少し付き合え」


「七年だぞ、七年。おまえら想像できるか？」

まだ開店したばかりで、人の少ない居酒屋に三人で入った。たった二杯の中ジョッキで、赤城さんは酔っぱらってしまっていた。

張りつめていた糸が切れたのか。それとも、酔いたいから、酔ったふりをしているのかはわからなかった。

伊庭は少し面倒くさそうな顔をしながら、それでも黙って赤城さんの話を聞いていた。彼の焼酎《しょうちゅう》を呷《あお》るピッチも、かなり速い。

「七年前、おまえ、いくつだった」

そう尋ねられて、ぼくは指を折った。

「十七歳。高校生ですね」

まだ、ロードレースなんてものも知らず、そしてロードバイクにも乗ったことがなかった。

「その頃から、俺は豪のために走ってきたんだ。七年間、ずっとたったひとりのエースのためだけに」

だらしなく、テーブルの上に崩れながら、赤城さんはそうつぶやいた。

「最初は憎たらしかったよ。俺より三つも年下のくせに、才能に溢《あふ》れてて絶対にどうやってもかなわない。自転車を降りても傍若無人《ぼうじゃくぶじん》で、先輩に対する気遣いなんてまったくない……」

目を覆《おお》ってためいきをつく。

「最初は……じゃないな。ずっと憎らしかった。こいつの才能が俺にあれば、といつだって思っていた」

ぼくと伊庭は視線を合わせた。赤城さんがそんなことを言うとは想像もできなかった。彼はいつだって、石尾さんのいちばんのアシストで、いちばんの理解者であるように見えた。

「石尾の影みたいなもんだって言われたこともある。ふざけるなってんだ。だれが影法師だ」

吐き捨てるように彼はそう言った。

残ったビールを一気に飲み干して、ジョッキを置く。

「それでもな……奴《やつ》は俺の誇りだったよ。汗みずくで必死にペダルを踏んで、あいつを勝負所《どころ》まで連れていく。俺のペダルを踏む力がちょうど限界になったとき、あいつは俺を置いて飛び出していくんだ。まるで翼が生えたみたいな足で、楽々とさ。その瞬間の爽快感《そうかいかん》ときたら……」

その感覚はぼくも知っている。

ツール・ド・ジャポンで同じ体験をした。力尽きたぼくの背中を踏みつけて飛び立つ鳥のように、彼はゴールに向かって走っていった。

ひどく眩《まぶ》しく、そして悔しいような複雑な感情と、一方で自分の仕事を終えたという充実感。きっと一生忘れられないだろう。

赤城さんの手がテーブルの上にぱたりと落ちた。

「あいつの勝利は俺の勝利で、あいつの負けは俺の負けだった。あいつが勝つから、俺は影法師でいられたんだ」

かすれた声が言った。

「なあ、この先、俺はだれのために走ればいいいんだ……？」

その問いにはどう答えていいのかわからない。

ふいに伊庭が言った。

「自分のために走ればいいんじゃないっすか」

赤城さんはしばらく黙っていた。やがて、ゆっくりと身体《からだ》を起こす。自嘲《じちよう》するように鼻で笑った。

「そうかもしれないな。レースから引退して、休みの日だけに自転車にまたがって峠を登ってさ。年齢的にもそろそろ限界だし、ちょうど潮時かもしれないな」

「別にそういう意味じゃ……」

あわてて言い訳しようとする伊庭を、ゆらゆらと動く手で制して、赤城さんは笑った。

「俺にとって、自分のために走るってことは、そういう意味なんだよ」

すっかり眠り込んでしまった赤城さんを見下ろして、伊庭はぽつりとつぶやいた。

「相当屈折してるな。このおっさん」

時刻はまだ夜の八時だ。酔いつぶれるにはずいぶん早い。それだけ吐き出したいものがたまっていたのだろう。

決して酒に強い方ではないのに、ぼくの方は何杯飲んでも酔えない。

「伊庭にはわからないよ」

そう言うと、彼は少し不快そうに眉《まゆ》を寄せた。

彼には絶対にわからない。たとえ、アシストをすることがあっても、彼ならそれは通過点だと信じているはずだ。いつかはエースとして走る。そしてそれはそう遠い日ではないのだと。

「おまえにはわかるのかよ」

ぼくは少し考え込んだ。そして答える。

「本当にはわからないかもしれないな」

ぼくは、自分が勝つことの重圧から逃げ出したくてこの世界にきた人間だ。エースとして走りたいと願いながら、それでもアシストとしてしか存在できない人の苦悩は、ぼくにもわからない。

それなのに、なぜ、赤城さんはぼくと伊庭を誘ったのだろう。赤城さんほど長い期間ではなくても、同じように石尾さんのアシストを続けていた選手はほかにもいる。

結局、居酒屋の閉店時間まで赤城さんはぐだぐだと眠り続けた。なんとか起こしてみたが、呂律《ろれつ》も回っていない状態で、とてもひとりで帰れそうにない。

「どうするよ。このおっさん」

　ぼくは考え込んだ。

「うちに泊めてもいいんだけど……」

　伊庭は両親と住んでいるが、ぼくはひとりだ。だれに気兼ねすることもない。

　赤城さんの肩をふたりで支えながら、路上に出てタクシーを捕まえた。後部座席に赤城さんを乗せると、ぼくは自分の住所を運転手に告げた。

「悪いな」

　伊庭は珍しくそんなことを言った。ぼくは笑った。

「伊庭が悪いわけじゃないだろ」

　だが、赤城さんをうちに泊めてもいいと言ったのは、単なる親切心だけではない。伊庭のいないところで、どうしても聞きたいことがあったのだ。

　ぼくのアパートに入った瞬間、赤城さんはトイレに駆け込んで、激しく吐いた。泣くような声をあげながら嘔吐《おうと》する彼に、ぼくは濡《ぬ》らしたタオルを差し出した。

「悪い……」

赤城さんは、噎《む》せながらもそう言った。

一応、目は覚めたようだが、まだ顔が青い。今日はこのまま泊まってもらった方がいいだろう。

「狭いし、むさ苦しい部屋ですけど、泊まっていってください」

トイレから出てきた彼は、ずるずると床の上にへたり込んだ。

「迷惑かけるな」

「いいですよ。普通のときじゃないんですから」

冷蔵庫からペットボトルの麦茶を出し、コップに注いで赤城さんに渡した。彼は一息に飲み干した。もう一杯注ぐと、彼は「悪い」と言って、それもすぐに飲み干した。

ぼくはソファベッドの背もたれを倒して、上にシーツを掛けた。寝心地がいいとは言えないが、ただでさえ狭い部屋をベッドに占領されるのがいやで、普段からこのソファベッドを使っている。

「ここで寝てください」

「おまえはどこで寝るんだ」

「床でいいですよ」

今は夏だ。タオルケットの予備はあるし、風邪を引くことなどない。

「いいよ。俺が床で寝る」

「いいですよ。体育会系は縦社会と決まっているもんです。ここ使ってください」

冗談めかしてそう言うと、赤城さんは少し笑った。それ以上固辞することもなく、スーツのジャケットを脱ぎ、ネクタイを緩めてソファベッドに横たわる。

赤城さんが目を閉じたのを確認して、ぼくはシャワーを浴びた。パジャマがわりのTシャツと短パンに着替えて出てくると、彼はベッドの上に座っていた。

「その格好じゃ寝にくいですよね。なんか貸しますよ」

「いや、いい」

彼は膝《ひざ》を抱えるようにしてなにか考え込んでいる。

ぼくは、タオルケットにくるまるようにして床に横たわった。背中が痛い、と少し思ったが、口には出さない。

赤城さんがふいに言った。

「あの女の子……袴田の知り合いの子と話したか？」

「昨日、電話がかかってきました」

「なにか言っていたか？」

「袴田さんは、ひどくショックを受けていると……」

「そうか……」

ぼくは身体を横にして、赤城さんを見上げた。

「袴田さん、あの峠の上りにいましたよね」

赤城さんは頷《うなず》いた。彼も気づいていたようだ。

「袴田は、あそこで、石尾になにか声をかけたんだ。彼は少し集団から遅れていて……俺はあいつの様子を見ながらすこし先を走っていた。だから、袴田がなにを言ったのかは聞こえなかった。でも、石尾は一瞬自転車を止めて、彼のことばを聞いた」

思わず尋ねた。

「その袴田さんのことばが石尾さんを動揺させたのでは？」

「それはわからない。だが、そんなふうには見えなかった」

赤城さんは下を向いたまま、話し続けた。

「あの日、最初の峠を越えたあたりから、急に石尾の調子が悪くなった。息が荒くなり、ペダルを回す足も鈍かった。疲れが出るのには少し早い。もともと、朝から体調がよくなかったのかもしれないと思った。だが、袴田と話したあと、急にそれが変わったんだ」

「変わった？」

「袴田とことばを交わした後、彼はボトルの水を飲みながら、速度を上げて、俺に追いついてきた。それまでの不調が嘘《うそ》みたいだった。そのとき、あいつは笑っていた」

笑っていた。そう聞いた瞬間、ぼくの網膜に石尾さんの姿がはっきりと浮かび上がった。伊豆で、自らの果敢なアタックで、ライバルたちを振り落としていくときのあの不敵な笑い。

袴田のことばが、彼を奮起させたのだろうか。

「だから、正直あのときは思った。和解したんだな、と」

もし、和解したのなら、そのあとすぐに石尾さんが死んだことで、袴田が衝撃を受けるのも無理はない。

ぼくは思いきって、ずっと聞きたかったことを尋ねた。

「赤城さん言いましたよね。三年前の事故は、石尾さんがわざとやったんだって」

「ああ、そうだ」

「それは、彼が自分のエースの座を脅《おびや》かしたからですか?」

「いいや」

彼はふうっと息を吐いた。

「俺も、石尾がやったことをすべて肯定するつもりはない。あれは、いくらなんでもやりすぎだったと今でも思うよ。でも、石尾は奴が許せなかった」

ぼくはタオルケットを剝《は》いで起きあがった。

「どうしてですか？」

古い電灯が虫の鳴くような音を立てる。赤城さんは一瞬、その音に耳を澄ませた。

「三年前、袴田はどんどんのし上がってきていた。レースによっては、彼をエースとして走ることも多くなった。石尾は彼のことを認めていた。もちろん、内心おもしろくない気持ちもあっただろうが、決して表面には出さなかった」

「ではなぜ……」

「あるとき、わかった。袴田は自己輸血をしていた。彼の兄は自分のクリニックを開業している内科医で、だから、容易にそれができた」

強い衝撃を受けて、ぼくは赤城さんの顔を見た。

自己輸血。それはドーピングの一種だ。

なにもないときに、自分の血液を抜いておき、それを冷凍保存する。そしてレースの前に輸血するのだ。そうすれば赤血球の量も普段より増え、パフォーマンスが上がる。もちろん禁じられているが、ものは自分の血液だ。ヘマトクリット値の上限にさえ気をつければ、一般のドーピングテストではまだ発見することが難しい。

それが石尾さんの逆鱗《げきりん》に触れたのだ。

ヨーロッパの自転車界には、ドーピングスキャンダルが多い。だが日本でそこまでして勝っても、リスクの割りに得られるものは多くない。袴田にとって、勝利はそれほど魅力的なものだったのだろうか。

「俺が石尾からそれを聞いたのは、事故の後だった。思わず言ったよ。『どうして、そこまで……』と。監督に言いつけて、彼をチームから解雇すればそれでよかったのじゃないかと俺は思った」

「石尾さんはなんて?」

「馬鹿《ばか》を言うな、と。俺たちはひとりで走っているんじゃないんだぞ。そうあいつは言ったんだ。非情にアシストを使い捨て、彼らの思いや勝利への夢を喰らいながら、俺たちは走っているんだ。だから、それを汚《けが》す奴は許さない。自らの勝利を汚すことは、アシストたちの犠牲をも汚すことだ、と」

ぼくは自分の膝を見つめた。なんと答えればいいのかはわからなかった。

ひとりで走っているわけではない。彼がそう言いきったところをぼくは見た。

それを聞いて理解した。そんなふうに考えていたからこそ、彼はときに冷酷なほど勝利に固執した。

自らの足下に累々《るいるい》と積み重ねられたアシストたちの犠牲を、わずかでも無駄にしないために。

それが、彼の勝利への意志でもあり、彼の強さでもあった。

「あいつにとっては、袴田がやったことはとうてい許せることではなかったんだ」

だから、叩《たた》きつぶした。完膚無きまでに。

それが正しいのだとは、ぼくにも言い切れない。だが、やり過ぎだ、と責めたい相手はもうこの世にはいない。

ひどく喉《のど》が渇いていた。やはり今日は飲み過ぎている。

「わかりました。そういうことだったんですね」

ふいに、赤城さんが顔をあげた。そして尋ねる。

「サントス・カンタンからの連絡は？」

急にそう言われて、ぼくは戸惑った。質問の意味がわからなかった。

「契約の申し入れはきていないのか？」

ぼくは驚いて立ち上がった。

「どうして、それを……！」

「知ってるよ。ツール・ド・ジャポンのときに、マルケスと話をした。そのときに、すでに向こうの監督がおまえに興味を示していると聞いた。リエージュ・ルクセンブルクでもおまえは単独の逃げを見せたから、よけいに点を稼いだだろう。もっとも事故のせいで、言い出しにくい状況にはなったかもしれないが、向こうもプロだ。気に入った選手を見逃すほど、甘くない」

ぼくは動揺の滲《にじ》んだ声で答えた。

「でも……あのとき逃げたのは、伊庭も一緒だ。ぼくに話がくると決まったわけでは……」

「伊庭は無理だろ」

赤城さんは、きっぱりとそう言いきった。

「伊庭はエースになる男だ。走りを見れば、目の肥えた人間にはすぐわかる。おまえはそうじゃない。……これじゃ、おまえを誉めているのか貶《けな》しているのかわからんな。だが、サントス・カンタンが欲しがっているのは、エースになる人材じゃない。エースのために身を粉にして働くアシストだ。違うか？」

「たぶん……」

マルケスもそう言った。スペインのチームが欲しがっているのはスペイン人のエースだ、と。

眠気が押し寄せてきたのか、赤城さんはごろりと横になり、また目を閉じた。ぼくは思わず尋ねた。

「それ、だれか別の人に話しましたか？」

「当たり前だ。選手みんなに話したよ。もっとも、伊庭は歯ぎしりしそうだったから、奴には言わなかったが」

そう言って彼は目を閉じたまま笑った。

赤城さんが引退を決めたという話は、その数日後に聞いた。

契約があるから秋までは走るが、その後は田舎に帰り、実家の農業を継ぐのだという。

「近所の子供にロードバイクの乗り方を教えてやってもいいかと思っている。上る山はいくらでもあるからな」

彼はどこか晴れ晴れとした口調でそう言った。

彼は最後まで石尾さんのアシストであり続けることにしたのだろう。たとえば、武士が主君を替えることを潔《いさぎよ》しとしないように、彼はもう、だれかのために走ることはないのだ。その決断は寂しいけれど、同時にひどく眩《まぶ》しくも見えた。

更衣室でふたりきりになったときに、言ってみた。

「以前、ぼくが赤城さんのようになりたい、と言ったことを覚えていますか?」

「ああ、嫌みだと思ったから覚えているよ」

「あれは、嘘でもないし、お世辞でもないですよ」

驚いたような顔でこちらを見た赤城さんに、ぼくは付け加えた。

「もちろん、嫌みでもない」


二週間もすると、チームはまた日常へと戻りはじめた。

トレーニングも今までと同じスケジュールになり、レースへの出場も再開する。だが、すべてが元に戻るはずはない。彼の不在はいたるところに顔を出し、ふとした拍子に、痛みはぶりかえす。

それでもそれに気づかぬふりをする程度には、だれもが痛みと彼の不在に慣れた。

それだけだ。

次のエースがはっきりと決まったわけではない。

スプリンター向きのレースでは、伊庭がその役割を担《にな》うことになったが、問題は山
だ。今のところ順当に、経験のある山中さんがエースということになっている。だが、
彼では勝利は望めないことは、彼自身も含めたみんなが気づいていた。
ぼくも何度か監督に水を向けられたが、自信がないと言って断った。自分の役割は
自分がいちばんよくわかっている。
その日曜日は、実業団の小さなレースがあり、伊庭とぼくを含めた六人がレースに
参加することになった。
ちょうど用事があって、補給食の準備をするスタッフを訪ねた。
「すいません。エナジーバー、ひとつかふたつもらえませんか。寝過ごして朝飯食え
なかったんで」
サンドイッチをアルミホイルでくるんでいたマッサーの木村さんが顔をあげた。
「ああ、いいよ。ここで食っていく？」
時間はまだある。そのことばに甘えて、予備のサンドイッチとエナジーバーを囓《かじ》ら
せてもらうことにした。
木村さんが、ふいに言った。
「もう一ヶ月経《た》っちゃったよな……」

ぼくは黙って頷《うなず》いた。

あの日から、一ヶ月近くが経った。石尾さんがいないチームはやはりなにかを欠いているようで、どこか落ち着きが悪い。それでも、それに慣れていくしかないのだ。

もうひとりのマッサーである富樫《とがし》さんも、ボトルの準備をする手を止めた。

「赤城さんが引退を決めたのは、それほど不思議ではないけど、篠崎が辞めたのは意外だったなあ」

それに関しては、ぼくも少し引っかかっていた。

篠崎さんは、石尾さんとそれほど親しかったわけでもなく、彼に心酔していた様子もなかった。

むしろ、富士山でのタイムトライアルの日、ぼくに三年前の事件のことをこっそり告げ口した程度には、彼に反感を持っていたはずだ。去年、伊庭も同じ話を彼から聞いたと言っていた。

「石尾さんと仲がよかった、というよりも、事故自体がショックだったんじゃないですか？」

ぼくがそう言うと、木村さんは頷いた。

「篠崎は袴田と同期で仲が良かったから、袴田の事故でもかなりショックを受けていたようだしな。致命的なクラッシュを二回目撃してしまったんだから、自転車に乗るのが怖くなるのもたしかにわかるよ」

木村さんの口から袴田の名前が出て、ぼくは少し驚いた。

たぶん、石尾さんがいなくなったことで、その事件の話はスタッフたちにとってもタブーではなくなったのだろう。事故の原因を作った人間がいる間は口に出しにくい。

富樫さんが、急に遠い目をした。

「そういえばさ。あの日の朝、篠崎がチームバスにきて、こんなふうにしばらく喋《しゃべ》ってたんだよな。珍しいことだから、なんでだろうと思ったのを覚えている」

「ああ、言われてみれば、補給食の準備をしている間、ずっといたよな」

食べ終えたサンドイッチのアルミホイルを丸めながら、何気なく聞く。

「助かりました。じゃあ、もう行きます」

「あ、ついでにボトルを選手たちに配ってきてくれないか？」

レース前のマッサーは忙しい。彼らの仕事はマッサージをするだけではなく、レースの雑務すべてだ。ぼくは快諾して、ひとり二本ずつのボトルを受け取った。

そのときだった。

雷に撃たれたような衝撃が全身を駆けめぐった。

ぼくの表情が変わったことに気づいたのだろう。富樫さんが妙な顔になる。

「どうかしたのか?」

「いえ、なんでもありません」

ぼくはあわてて笑顔を作った。

早鐘のように打ち始める鼓動を、なんとか抑えようとした。

——落ち着け。落ち着くんだ。誓。

そんな話だけで、人を疑うことはできない。

ぼくはボトルをゼッケンやジャージのあちこちに詰めて、選手たちのいるチームバスへと戻った。

そう、今、ぼくの頭にあるのは、単なる想像に過ぎない。

だがそれと同時に、ぼくはそれが正しいかどうかを確かめることもできるのだ。

その日、オッジがレースで勝つことはできなかった。

ぼくも別のことで頭がいっぱいで、集団内で走りきるのが精一杯という状況だった。

家に帰り着くと同時に、ぼくはクローゼットからスーツケースを引っ張り出した。

ベルギー遠征のとき持っていったものだ。

もちろん、衣服などはすべて出して片付けた。だが、整理に困るようないくつかのものはそのまま入っている。

スーツケースを開け、蓋《ふた》のポケットに入れてあったボトルを取りだした。

あの事故の現場で拾った、石尾さんのボトルだった。

彼の形見のようなつもりで、持って帰ってしまったが、そのままどうすることもできずにスーツケースにしまっていた。中身も入ったままだから洗わなければとは思っていたが、彼が宿っているようで手を触れることすら気が引けていた。

それもなにかの予感か、それとも彼が導いてくれたのか。

ぼくは電話帳で、高校の同級生の電話番号を調べた。

彼は今、製薬会社のラボで働いている。

第十章　サクリファイス

街灯の下、コンビニ袋をぶら下げた彼が帰ってくるのが見えた。

ぼくは、もたれていた壁から身体《からだ》を起こした。篠崎さんは、ぼくに気づかずに通り過ぎて、マンションに入っていこうとした。

「篠崎さん、こんばんは」

びくん、と彼は弾《はじ》かれたようにぼくを見た。

「……白石……？」

「すいません。連絡もなしにやってきて。少し話があるんです。時間をいただけませんか？」

彼は気味が悪いものでも見るように、ぼくを眺めた。だが、驚いてはいない。ぼくがなぜやってきたのか、たぶん彼は気がついている。

「俺はもうロードレースを止《や》めた人間だ。なにも話すことなんてない」

理屈の通らないことを言う。ぼくは笑った。

「チームのことで、とは言っていません」

「じゃあ、なんだよ」

「石尾さんのことですよ」

黙ってエントランスに入る彼を追った。

「いえ、石尾さんと袴田さんのことかな」

彼は、勢いよく振り返った。その顔でわかった。ぼくの推測は間違っていない。

エレベーターに並んで乗り込む。ぼくは話を続けた。

「ぼくね。あの日の石尾さんのボトル、持って帰ってたんですよ」

その一言で、彼の顔から血の気が引くのがわかった。

「彼の形見のつもりでした。だけど今思えば、彼がぼくに持って帰らせたのかもしれない」

エレベーターを降りて、篠崎さんは自室のドアを開けた。

「入れよ」

「お邪魔します」

ぼくは遠慮せず玄関で靴を脱いだ。神経質なほどきれいに片付けられた部屋だった。

突っ張り型のスタンドに、新しいロードバイクが引っかかっていた。

皮肉にも、ぼくが乗っていたのと同じ、オーダーメイドのクロモリフレームだった。こんな状況でなければ、彼とクロモリの魅力について語り合いたかった。心からそう思う。

「友達にボトルの中身を検査してもらいました。エフェドリンが検出されたと、昨日連絡があった」

それは、ぼくが予想していたようなものではなかった。「石尾の調子が悪かった」という赤城さんの証言から、体調を崩してしまうようなものが入れられたのだと思っていた。検出された薬物の名前を聞いて、ぼくは驚いた。

だが、それが石尾さんを陥《おとしい》れるために入れられたことには間違いない。

興奮剤であるエフェドリンは、禁止薬物である。それがレース後のドーピング検査で検出されれば、彼の選手生命は絶たれる。

「俺が入れたという証拠はあるのか？」

「マッサーのふたりが、ボトルをあなたに預けたことを覚えていますよ」

レース前のマッサーは忙しい。そこに顔を出せば、ボトル配りを頼まれることは十分予想できた。

ほかの選手のボトルに選んで薬物を投入することは難しいが、石尾さんに関しては
それができる。彼のボトルだけに印がついている。

急に篠崎さんが叫んだ。

「あんなことになるとは思ってなかったんだ！　だれが想像できる？　まさか彼が死ぬなんて」

それに関しては、ほんの少しだけ彼に同情する。自分のしたことがそんな結果を生むとは思いもしなかったのだろう。

「俺は、袴田の気持ちがそれで治まればいいと思っていた。彼の復讐心《ふくしゅうしん》が、それで落ち着けば、それだけでいいと思ったんだ。あのステージは石尾さん向きではなかった。ドーピング検査を受けることになる確率だって低かった」

ドーピング検査を受けるのは、レースの上位入賞者と、そしてランダムに選ばれた数人の選手だけだ。あの日、二百人近い選手が走っていた。その中で石尾さんが選ばれる確率は数パーセントに過ぎない。

「袴田さんに頼まれたんですね」

改めてそう確認すると、篠崎さんは小さく頷《うなず》いた。エフェドリンは漢方薬の麻黄にも含まれるから、手に入れるのはさほど難しいことではない。

「袴田だって、まさかこんな結果になるとは思っていなかったはずだ……」

だれも想像していなかった。きっと、石尾さんすら。

ドーピング検査を受ける確率は低いがゼロではない。そして、袴田もきっと、本気で石尾さんの選手生命を奪おうとまでは考えていなかった。

だから、あの上りで彼に告げたのだ。

そのボトルにはエフェドリンが入っていると。

それを聞いて、石尾さんはなぜ笑ったのだろう。してやられたという敗北の笑いだったのか、それともそれを自分に話す、袴田の詰めの甘さに対する笑いなのか。

そうなると、石尾さんが取る行動はひとつしかない。

ドーピング検査を受けずに済む方法はたったひとつ。その場でのリタイアだ。袴田の目的もそこだったはずだ。自分の手で、彼をリタイアさせること。それで、彼の復讐心は治まったのだろう。

だが、チームのエースがリタイアするのには、それなりの理由が必要だ。それこそ、アシストやスタッフたちの仕事を無にすることなのだから。

だから、下る途中前輪をわざとロックさせた。クラッシュで怪我《けが》をすれば、それがリタイアの理由になる。

確率は低いながらもドーピング検査を受ける羽目になり、選手生命を絶たれるくらいならば、石尾さんでなくてもそちらを選ぶだろう。

まさか、あんな惨劇が起こるとは、予想もしなかったはずだ。

篠崎さんは膝《ひざ》を抱えて、泣いていた。

ぼくは目を閉じた。この人もすでに、報いは受けた。

彼だって自転車を愛していたのに、もうプロとしてレースで走ることはできないのだ。

たったひとりで抱え込むのには、その真実は重すぎた。

だから、ぼくはそれを伊庭の肩にも押しつけた。彼なら、その重さもうまくやり過ごして自分の力に変えるだろう。本当は自分が楽になりたいだけなのに、ぼくはずるくもそんなふうに考えたのだ。

ぼくの長い電話を、伊庭は相づちをほとんど打たずに聞いていた。

話し終わると、伊庭のためいきが電話口から聞こえてきた。

「つまり、結局起こったのは事故だったってことだろ」

「そうだね」

「なら、結局同じことだ。袴田という男がなにを企《たくら》もうと、それに篠崎さんが荷担しようが、事故は起こったかもしれないし、起こらなかったかもしれない。それだけのことだよ」

そう言いきる伊庭に、ぼくは驚いた。そんなふうに考えられればどんなにいいだろう。

それでも、そう言える彼が頼もしいと思った。

「赤城さんに話した方がいいと思う？」

彼ならきっと真実を知りたいだろう。

「止めといた方がいいんじゃねえの。あのおっさん、もう一段階屈折するぞ」

「そうだろうか」

電話の向こうで、伊庭が少し考え込む気配がした。

「やっぱり止めとけよ。憎む相手なんかいない方がいいんだよ」

そうかもしれない。たとえ、憎しみが喪失感を少し軽くするのだとしても、憎しみなどない方がいいのだ。

どちらにせよ、彼はもう戻らないのだから。

その電話がかかってきたのは、数日後の夜だった。

「ミスターイシライシ？」

電話口から聞こえてきたのはスペイン訛《なま》りの英語だった。ぼくは息を呑《の》んで受話器を握り直す。

「サントス・カンタンのマネージャーのカンテロだ。はじめまして」

「はじめまして」

緊張のあまり呂律《ろれつ》がうまく回らない。電話の向こうの声が低くなった。

「イシオの件は残念だった。冥福《めいふく》を心から祈るよ」

どう答えていいのかわからず、ぼくは黙って頷いた。彼は話を切り替えた。

「率直に聞く。うちのチームに興味はある？」

「もちろんです！」

勢い込んで答えた。

「OK、それはよかった。じゃあ、具体的な話に入ろう。今のチームとの契約は今期で終わりだね。まだ更新はしてない？」

契約更新の話は出ていた。ツール・ド・ジャポンの結果のせいか、年俸も今年より上げると言われている。だが、ぼくはそれを引きのばしていた。

「まだしていません」

「よそのチームから誘いはきている？」

「いいえ」

だれかがぼくをからかっているのかもしれない。答えながらそう思った。もしくはただの夢かもしれない。だが、たとえそうだとしても、今はそれに酔いたい。

「悪いが、年俸はあまり出せない。二万ユーロだ。だが、賞金は分配されるし、チームが勝てばスポンサーからの臨時ボーナスも出る。実際に手にする金額はもう少し多い。きみはまだ独身だというし、ひとりならスペインでも生活していけるはずだ。どう？」

「充分です」

金額は関係ない。その半分だったとしてもぼくは行くだろう。

「もちろん二年目以降は、きみの仕事ぶりに見合った額を出そう。すべてはきみ次第だ」

「わかりました」

「話がスムーズに進んでうれしいよ。近いうちに契約書を持った担当者を日本へ差し向ける。もっと詳しい話はそのときに」

「ありがとうございます。とてもうれしいです」

「きみの仕事ぶりに期待しているよ」

話が終わりそうになったので、あわてて尋ねた。

「ひとつ、教えていただけますか？」

「なんだい？」

「ぼくを採る決め手になったのはなんですか？」

彼は迷うことなく答えた。

「ツール・ド・ジャポンの伊豆ステージだよ」

ぼくは、受話器を握りしめたまま、しばらく立ち尽くしていた。

飛び上がって喜びたい気持ちもあったが、心の半分はまだ信じかねていた。実際にサインをするまでは、まだ本決まりになったわけではない。喜ぶのはそれからでもいい。

それでも。

ぼくは、震える手で本棚のガラス戸を開けた。友人から返してもらった石尾さんのボトルがそこにある。それを握りしめた。

彼はあのとき知っていたのだ。サントス・カンタンが求めているのは、ひたすら自分の勝ちのみを求める選手ではなく、チームのために喜んで身を投げ出すことのできる選手だと。

知っていたからこそ、あのときぼくも一緒に止まらせた。

香乃が言っていた「彼がタイヤの空気を抜いていた」という話の意味も、今ならわかる。空気圧の低いタイヤなら、小石などを踏むことで簡単にパンクしてしまう。アクシデントは必要だ。そのとき、どういう行動を取るかで、選手の真価が見える。彼はぼくがどう行動するか、サントス・カンタンに見せたのだ。

ぼくは、ずるずると床に座り込んだ。額にボトルを押し当てて泣いた。

――白石、食らいついてこい。

そう叫んだ彼の声が耳に蘇《よみがえ》る。

彼の背中を追っていたかった。そして、自分の足でその背を追い抜きたかった。もうそれは、どんなに望んでも叶《かな》わない夢だ。

頼りないほど軽いボトルを胸に抱いて、ぼくは泣き続けた。

記憶の中の光景が次々と脳裏に浮かぶ。

目を閉じて、寝返りさえ打たずに眠る彼、坂道を上りながら笑う彼、そしてあの最《さい》期《ご》の血に染まったジャージ。

そのときだった。

ぼくの意識の中に、もうひとつの光景がはっきりと再生された。

フォークがぽっきりと折れ、スポークも無惨《むざん》に歪《ゆが》んだ彼の自転車と、へこんだボトル。そして、そこに広がる水たまり。

ぼくははっとして、手の中にあるボトルを見つめた。

弾《はじ》かれたように、台所のシンクに飛びついて、蛇口をひねる。記憶の中にある重さを頼りに、ボトルの中に水を注いだ。ボトルは、注ぎ口ぎりぎりまで満たされた。

——どういうことなんだ。

頭ががんがんとする。

あの事故が起きたのは、補給地点の手前だった。上りが続き、暑い日だった。

なのに、彼は水をほとんど飲んでいない。

ぼくが拾ったボトルも、水が満たされていた。そして、自転車の下にできた水たまりも、ボトル一本分ほどの量だったように見えた。

強い酒でも呷《あお》ったかのように視界がぐるぐるとまわる。

ボトルの水を飲んでいないということは、エフェドリンも摂取してないということだ。

彼に事故を起こす理由はない。

彼は体育館で、ひとりでボールを操っていた。ボールは、驚くほどスムーズに彼のまわりを動き回る。生き物のように素直に、彼に従う。

そのままドリブルしながら、バスケットゴールへと向かい、ボールをシュートする。

ボールはゴールの縁でくるりと回転して、中に入った。

車椅子《くるまいす》のホイールの音は、自転車のホイールの音に似ていた。

拍手をしながら中に入った。彼はちらりとこちらを見て、ボールを投げてよこした。

袴田との連絡は、篠崎さんを通して取った。香乃にはやはり知られたくはなかった。

「こうやって、きちんと会うのははじめてだな」

彼は、車椅子を操りながら、こちらに近づいてきた。

「バスケットをやってらっしゃるんでしたっけ」

「違うよ。ラグビーだよ、ラグビー」

バスケットボールの試合なら、パラリンピックのテレビ中継で見たことがある。だが、車椅子でどうやってラグビーをプレイするのか、想像もつかなかった。

彼はぼくからボールを取り戻すと、もう一度ドリブルする。

「スペイン行きが決まったそうじゃないか。すげえな」

耳が早い。ぼくは彼のボール捌《さば》きを眺めながら答えた。

「まだ仮の話です。本当にサインをするのは来週だ。まだ決まったわけじゃない」

またシュートする。今度は外れた。

「しれっとした顔で言うんだな。香乃の言っていたとおりの奴《やつ》だ」

香乃はぼくのことを彼になんて話したのだろうか。それを知るのは少し怖い気がした。

「自信のあるようなことはひとつも言わないくせに、本番になるとさらっとなんでもこなすんだ。あいつはそう言ってたよ。そして、それで誉められたとしても、困ったような顔をするばかりで、少しも自慢しないんだと」

香乃の目に、ぼくはそんなふうに映っていたのか。それは少しも自分のことだとは思えない。

彼はぼくの胸に強くボールを投げつけた。あわてて受け止める。手が、じんと痺《しび》れた。

「そういう男がいちばんむかつく」

どう答えていいのか困り、思わず「すいません」と言うと、彼は噴き出した。

「まあいい。で、話ってなんだ？」

ぼくは、彼の隣に立ち、ゴールにシュートした。ボールはうまく入らなかった。

「あなたが、最後に石尾さんと交わした会話が知りたいんです」

彼は鼻を鳴らした。

「それを知ってどうする」

「ぼくは知らなきゃならないんです」

もし、ぼくの想像が正しければ、それはぼくが背負うべき十字架だ。

跳ね返ってきたボールを彼は受け止めて、もう一度ゴールする。きれいに決まる。

「知らない方がいいと思うぞ。特にサントス・カンタンとの契約が本決まりになるまではな」

「どうしてですか？」

「おまえみたいな偽善者は、せっかくのチャンスを全部台無しにしかねない」

偽善者。そう投げつけられたことばは、着慣れた服のようにひどくぼくに馴染《なじ》んだ。

さっきの香乃のことばよりもずっと。

「たとえそうでも、それがあなたの望んだことじゃないんですか？」

「そうかもな」

彼は口を歪めて笑い、ドリブルを続けて反対側のゴールに向かった。

少し離れた距離にいる彼に届くように、声を張り上げて言った。

「石尾さんが水を飲んでいなかったことには、気づいていましたか？」

そのことばを聞くと同時に、彼は車椅子ごと振り返った。

「おまえ、今、なんて……」

袴田も気づいていなかった。ぼくは唇を舐《な》めた。

「石尾さんはボトルの水にはほとんど口を付けてない。たぶん、篠崎さんがなにかを入れているところを見てしまったのか。それともあやしいなにかを感じたのか、それはわかりません。でも、赤城さんは言っていた。彼は妙に体調が悪そうだった、と。息が荒く、ペダルも重そうだったと」

あれは水分を摂《と》らなかったからだ。脱水症状は身体《からだ》に致命的な影響を及ぼす。

「事故の後、ぼくが拾い上げたボトルも、ほとんど水が減っていなかったし、もうひとつのボトルもたっぷり水が入っていた。確認してみましたが、ボトルの補給もあの時点では行われていなかった」

彼はいきなりこちらに向かってボールを投げた。受け止めると強い衝撃が腹に響く。

彼は吐き捨てるように言った。

「石尾以上に、おまえが憎たらしいよ」

少しは予想していたことばだった。だが、実際に耳にしてみると、ぼくの胸はざわめく。

「石尾なんか、どうせあと二、三年で引退する。それまでいくらもてはやされようが、この極東の島国でくすぶっているだけだ。だが、おまえは違う。確実にチャンスをものにして、世界に出ていこうとしている。おれが、あれほど行きたくてたまらなかった場所に、しれっとした顔のままでな」

今、気付いた。彼が自己輸血をしてまで勝利にこだわったのは、ヨーロッパへの夢があったからなのだ。

彼は鋭い目でぼくをにらみつけたまま、喋《しゃべ》り続けた。

「香乃のことだってそうだ。おまえはあいつの初めての男だ。俺がどんなにあがこうが、おまえが香乃の心に刻んだ爪痕《つめあと》は消せるはずはない」

「爪痕……？」

そんな禍々《まがまが》しいことばで表現されるほど、ひどい仕打ちを、ぼくは彼女にしたのだろうか。

「一方的に振られたのに、恨み言も言わず黙って許して、オリンピックまで狙《ねら》えると言われていた陸上まで捨てて。それで、香乃が自分を責めないとでも思ったのか？ それを自分のせいだと感じないほど、あいつが鈍感だとでも思っていたのか？」

ぼくはぼんやりと彼のことばを聞いていた。彼が黙るのを待って口を開く。

「それでも、ぼくは敗者で、あなたは勝者だ。香乃はあなたが好きだと言っていた」

「そういうことは同じ土俵に立ってから言え。あいつの罪の意識を取り去ってやって、それで今でも好きだと言ってみて、それであいつに振られたら俺の勝ちだと認めてやるよ」

ぼくは笑った。そのまま首を横に振る。言えない、という返事のつもりだった。

「ああ、そうだな。おまえはスペインに行くんだものな」

彼はひどく投げやりにそう言った。ぼくはボールを彼に返した。

「香乃のことはいい。教えてもらえませんか。あなたが石尾さんになにを言ったのかを」

彼はしばらくぼくをにらみつけていた。

「まあ、いい。おまえがこの先、それで苦しむのならそっちの方が気分がいい。教えてやるよ」

彼が続けるのを待たずに、ぼくは口を開いた。

「エフェドリンは、彼のボトルだけに入っていたんじゃない。香乃がぼくに差し入れしたワインにも入っていたんでしょう」

もう一度ボールをシュートしようとしていた彼の手が止まった。驚いたような顔になっている。

「なるほどな……そこまで知っているのか」

「想像しただけです。香乃は知らなかったんでしょう」

「知らないよ。知ってたら、おまえに渡すはずはない」

「あなたはそれを、石尾さんに言ったんですよね」

「『昨夜、あの白石という若造にエフェドリン入りのワインを飲ませた。同室の伊庭という選手も飲んだかもしれないな。さっさとリタイアさせるんだな』そう言ったよ」

ぼくは深い息を吐いた。あれから考えて、辿《たど》り着いた結論と同じ答えだった。

袴田の恨みは、ぼくが考えていたよりもずっと深かった。彼が告げたのは、ワインに入ったエフェドリンのことだけだった。石尾さんのボトルのことは告げていない。

よく考えればわかったことだ。日本でではなく、わざわざドーピングに対して厳しいヨーロッパのレースで行動を起こしているのだ。ドーピングテストに引っかかれば、選手生命だけでなく、今までの勝歴も地に落ちる。

だが石尾さんは気付いていた。自分のボトルにもなにかが入れられていることに。

その上で決断を下した。

「わかりました」

「あいつは笑ったよ。なぜかはわからなかったが、おまえのことばを聞いてわかった。あいつだって、おまえがおもしろくなかったんだろう」

彼がそう思いたいのなら、そう思えばいい。その方が彼にとっては楽だろう。

彼はボールを弄《もてあそ》びながら笑った。

「どうだ？　スペイン行きの決め手となったあの単独の走り。あれはおまえの実力じゃなく、薬物の助けを借りて成功したものだったと知った気分は？」

ぼくは、彼の手からボールを奪い取った。そのままドリブルしながら走る。

反対側のゴールへぼくはシュートを決めた。

そして、振り向いた。

「石尾さんと同じだ。あの日、ぼくはワインを一滴も飲んでいない」

彼の目が大きく見開かれた。

ぼくは笑ってみせた。

はじめて、自分を嫌みな奴だと思った。


ガラス越しに通りを歩く伊庭が見えた。約束の時間ちょうど、相変わらず時間には正確だ。

ぼくはカフェの固い椅子に座ったまま、ガラスを叩《たた》いた。伊庭がぼくに気づいた。

彼は店内に入ると、まっすぐにぼくのテーブルにきた。

「いきなり呼び出してごめん」

笑いながらそう言うと、彼は顔をしかめた。

「おまえ、真っ昼間から飲んでいるのか？」

「うん」

くる前に自動販売機でカップ酒を買って飲んだ。しらふじゃとても話せそうになかった。

彼はなにか言いたそうな顔をしたが、黙ってぼくの前に座った。

「で、話ってなんだよ」

「間違ってたんだ」

「え？」

「この前、話したことは全部間違ってた」

彼は身を乗り出した。

「もしかして、篠崎さんがエフェドリンを石尾さんのボトルに入れたって話か？」

「それは本当だ。でも、石尾さんはそれを飲んでない」

彼はすぐに理解できないような顔をしていた。

ぼくは説明した。赤城さんの証言とボトルは両方ともほとんどいっぱいだったこと、そのふたつから導き出せば、答えは自《おの》ずと出る。

「じゃあ、石尾さんは脱水症状で朦朧《もうろう》として……」

「違うんだ」

ぼくは少し笑った。前髪をかき回す。

「おまえ、酔ってるだろう。酔いが醒《さ》めてから話せ」

「いやだよ、酔ってるけど、言っていることがわからないほどじゃない」

意識はクリアだ。いやになるくらいに。

「エフェドリンが入っていたのは、石尾さんのボトルだけじゃない。ぼくが友達にもらったあのワイン。あの中にも入ってたんだ」

伊庭が息を呑《の》んだ。

それは間違いなく、ぼくの不注意だ。袴田と同じ部屋に泊まっているはずの香乃からもらったものなのに、そんな可能性をまったく考えなかった。

ひとつ間違えば、ぼくは伊庭の選手生命を奪っていたかもしれないのだ。

「あのワインに……」

「石尾さんはそれを知った。ぼくが飲んでいないことを、想像できるはずはない」

ロードレースは戦略がすべてだ。どんなに強い選手も戦略がまずければ勝てない。

そして、戦略次第で力の劣る選手が勝利を手にすることもある。

袴田のことばを聞いた瞬間、石尾さんの頭の中に戦略が浮かんだはずだ。彼の企《たくら》みを無に帰するための戦略が。

「レースを中止させる。それしかなかったんだ」

あのとき、ぼくは単独の逃げを成功させていた。ぼくがドーピング検査の対象になる可能性は高かった。

伊庭は声を荒らげた。

「馬鹿《ばか》な！　監督に話して無線で連絡を取り、俺たちをリタイアさせれば、それで済んだ話じゃないか」

ぼくは首を横に振った。

「それじゃ駄目なんだ。あのとき、ぼくたちがリタイアすれば、サントス・カンタンの監督はぼくたちへの興味を失うだろう。リタイアではいけない。あくまでもレースが中止されなくてはならないんだ」

「そんなことのために……そんなことのために、あの人は！」

ぼくも、それを考えたときはまさかと思った。だが、石尾さんがどう考えたのかは時間が経《た》つにつれて、少しずつ理解できた。

「そんなこと――石尾さんが聞いたらきっと怒るよ。グラン・ツールに出られるチームからのスカウトがどれだけあると思う？　今まで何人の日本人がグラン・ツールで走ったのだと思う？」

そう言うと伊庭は絶句した。彼だってわかるはずだ。

そんな機会はほとんどない。七年間第一線で走ってきた石尾さんにすらなかったのだ。ぼくだって、このチャンスを失えば後はもうないと思う。

彼はその重さを知っていた。

「それでも、あの人にとっては、なんの得にもならない。なぜ、そんなことのために……」

伊庭が呑み込んだことばの続きを、ぼくは口にする。

「そう、そんなことのために、あの人は頭からブロックにつっこんだんだ」

それを聞くと同時に、伊庭の全身から力が抜けた。放心したようにぼくを見る。

彼の覚悟は、赤城さんの証言からもわかる。彼は水を飲んだ。薬物が入っていることがはっきりした水を、笑いながら。

もう、喉《のど》の渇きに耐える必要はない。彼はそう考えたのだ。

「どうして……」

「あの人だからだよ。今までずっと、アシストたちの夢や嫉妬《しっと》を喰らい、それを踏みつけて、ゴールゲートに飛び込んできた、あの人だからだ」

その重さも、尊さも、すべて知っていた彼だからだ。

ぼくの喉も震えた。彼はだれよりも理解していた。

「勝利は、ひとりだけのものじゃないんだ」

自分が受け取り続けたバトン、夢や嫉妬や羨望《せんぼう》でまみれたバトンを、彼は間違いなくぼくの手に渡した。

ぼくの頭に、振り返って叫んだ彼の顔がはっきりと焼き付いている。

——食らいついてこい！

あのとき、あなたがぼくの背中を踏みつけて飛び立ったように、ぼくはあなたの背中を踏みつけて、これから飛ぶ。

それを、おこがましいとは考えない。

ぼくの勝利は、ぼくだけのものではない。

終章

快晴だ。日本ではありえないほどの快晴だ。

スペインにきて、一年半経《た》つのに、ぼくはいまだに、このあまりにあけっぴろげな晴天には馴染《なじ》むことができない。

ブエルタ・ア・エスパーニャは二週目に突入した。去年は出場選手に選ばれなかったから、ぼくにとってははじめてのグラン・ツールだ。

サントス・カンタンで走った一年半の勝利実績はゼロ。だが、それは結果が出せていないということとイコールではない。日本のロードレースファンのブログなどには、白石はいつ勝てるんだ、なんて書かれていることもあるが、気にはしない。

アシストとしての仕事はきちんとこなしている。リザルトにも残らない、テレビ中継があっても画面には少ししか映らない。だが、見ている人はきちんと見ている。

一ヶ月前フランスのプロチームから移籍の誘いがきた。仕事が評価されてのことだ。

サントス・カンタンとの契約もちょうど二年で切れる。来年からはフランスで走る。伊庭はあれからチーム・オッジのエースとして走っている。今年の日本選手権では優勝し、名実とも日本のチャンプだ。

三週間後の世界選手権では、彼と一緒に日本代表として走ることが決まっている。二年ぶりにぼくは彼をアシストする。

香乃と袴田が結婚したという話は人づてに聞いた。それを知ったときわずかな痛みを感じなかったと言えば嘘《うそ》になる。だが、その痛みはぼくが自分で選んだものだ。そう気付いてみればさほど辛《つら》くはない。

快晴だ。だが、チームの雲行きは快晴というわけにはいかない。

昨日、ロベルト・ペロスが落車して鎖骨を骨折した。チーム一丸となって、ロベルトの山岳賞獲得に力を尽くしてきていた。それがすべてゼロになった。

次のエース候補であるフェルナンデスの成績も、三十位と振るわない。昨夜の夕食時には、みんなどんよりと落ち込んでいた。

だが、一晩寝て起きれば、さっぱりとした顔になっている。よくあることだ。いつまでも引きずっていられないのだ。

ミーティングのとき、監督が言った。

「もう、おまえら、あとは好きに走れ。で、できるだけテレビに映れ」

どっと全員が笑った。

もう戦略もなにも必要ない。なるべく派手な動きをしてテレビに映ること。冗談のようだが、これも立派な仕事なのだ。

画面にサントス・カンタンのジャージが映ればスポンサーのチーズ会社が大喜びする。スポンサーはそのために金を払っているのだから。

ぼくはコースプロフィールを見た。

急勾配《きゅうこうばい》の上りと、長い下りが繰り返される山岳ステージ。過酷だが、ぼくの得意なコースだ。

尻《しり》がむずむずとした。飛び出してみたい。あのひどく暑い夏の日のように。

「それじゃ、解散」

驚くほどの短さで、ミーティングは終わった。

たまに目立ってみるのも悪くない。できれば勝利だってほしい。

もう勝つことは怖くはない。ぼくの勝利はぼくだけのものではない。その尊さをぼくは知っている。

ぼくは自転車にまたがった。ビンディングペダルにシューズをかちりとはめる。
彼が言った気がした。
「行けよ」と。

解説

大矢博子

『サクリファイス』には四度、予想を裏切られている。

最初は〇七年の夏、単行本発売前にゲラを読ませてもらったときだ。サイクルロードレースをモチーフにしたミステリだという。私が自転車好きなので、担当の編集さんが「詳しい人が読んだらどうなんだろう」と送ってきて下さったのだ。

近藤史恵さんがロードレースファンというのはブログなどで存じ上げていたし、そんなマイナー競技を扱ってくれるだけで自転車ファンとして嬉《うれ》しかった。なにより近藤史恵だもの、ミステリとしても面白くないわけがない。しかしそれでも……何ともお恥ずかしい次第だが、正直に白状しよう。なまじ知っている世界が舞台とあって、実は読み始める前は心配が先に立っていたのだ。自転車レースのルールは、実はかなり複雑である。日本ではマイナーな分、単語のひとつひとつから説明しなくてはならないのではないか。だとしたら説明過多の小説になってしまうのではないか。あるいはそうなるのを避けて初心者におもねるような、物足りないヌルい作りになってはいまいか、と。

ところが、一読して。

ヌルいどころか！ なんというリアリティ、なんという臨場感。ヌルいんじゃないかなんてホザいたのはどこのどいつだ。私だ。ああ、穴があったら自分を埋めてコンクリ流し込みたい。偉そうなこと言ってごめんなさいごめんなさい、今から近藤さんちに行ってマシン磨きますから許して下さい……という気分でのたうち回ること二十分。

はたと我に返り、すぐさま知り合いの自転車雑誌のライターに連絡をとった。ものすごく面白い自転車小説が出るよ、と。これは自転車乗りに是非読んで欲しいので、どこかそっち系の編集部に話を通してもらえないか。近藤史恵の新作というだけでミステリ好きは黙ってても読むだろう。でも、この『サクリファイス』という小説は、自転車ファンにも読んで欲しい。読めばきっと感動する。「これほどまでに〝わかってくれてる〟小説があったのか」ということに、きっと驚く。だから、ボランティアでもかまわないから、自転車雑誌に紹介記事を書かせて欲しい、と。

「難しい題材だけに、そのスジの人が読んだら物足りないような素人《しろうと》向けの小説になっちゃうんじゃないか」という予想は見事に裏切られ、〝そのスジの人〟にこそ読んで欲しいと思わせるほどの完成度がそこにあったのである。書評という仕事をやってきて、「タダでもいいから紹介したい」と思わせてくれる作品には何度か出逢《であ》った。しかし、実際に普段付き合いのない畑違いの出版社や編集部に直接連絡をとり、「紹介させろ！」とねじ込んだのは初めての経験だった。ねじ込まれた方も驚いたろうが、こっちも驚いた。商売で書評業をやってるのに、なんで私は嬉々《きき》としてタダ働きをしてるんだ？

つまり『サクリファイス』とは、それだけの力をもった作品だった、ということだ。そして実際に本書は自転車関係者の間で評判を呼んだ。〇八年のツール・ド・フランスでは、生中継の最中に解説者が本書を紹介したほどだ。私が不必要にはしゃぐ必要などなかった。良いものはちゃんと広まるのだ。その業界のプロが読んで感動できる、本書はそれほどのレベルの自転車小説であるという証左に他ならない。

では逆に、サイクルロードレースというものをよく知らない人が読んだら、どうなんだろう？　マニアック過ぎてわからないのでは？　それ以前に興味が持てないのでは？——という予想もまた裏切られることになるのだが、その前に。

順番が後先になってしまったが、本書の内容を紹介しておこう。

主人公の白石誓《しらいしちかう》は、もと陸上選手。オリンピック代表を期待されるほどのランナーだったが、勝つための走りに疲れ、引退。たまたま知ったサイクルロードレースの〝自分が勝つために走るのではない〟アシストというシステムに惹《ひ》かれ、自転車競技に転向する。

ところが、彼と同じチームのベテランエース・石尾《いしお》には、過去に自分の地位を脅かす若手を事故にみせかけてケガをさせ、再起不能にしたという黒い噂《うわさ》があった。それを承知で次期エースの座を虎視《こし》眈々《たんたん》と狙う新人レーサーの伊庭《いば》。アシストの役割に満足しているのに、その実力からエース候補だと思われてしまう白石。そしてついに、再び「事故」が起きて――。

もうこれだけで、ミステリとしては充分面白そうでしょう。「予想を裏切られた」二つ目はもちろん、ミステリとしての謎《なぞ》解き予想だ。過去の事故は本当に石尾がライバルを潰《つぶ》すために仕掛けたものなのか。そして新たに起こった事故の真相はどこにあるのか。それなりに予想して読んでいたつもりだったのに、見事に覆《くつがえ》された。ここらはさすがである。

そして本書がすぐれた謎解きミステリとして成立するために欠かせないのが、サイクルロードレースというマイナーにして特異なスポーツのシステムなのである。つまり読者がこのミステリをミステリとして充分堪能するためには、この複雑な競技のシステムを理解してなくてはならない。

私が事前に最も懸念したのがそこだった。しかし、読み進むうちに驚いた。煩雑《はんざつ》なルールや耳慣れないパーツ名がさらりと、決して説明的ではなく、物語の中で巧く紹介されているのである。いや、それどころか。これまで「ロードレースってどんなスポーツ?」と問われ説明に苦慮していたが、今後はこの本を差し出し「これ読んで」と言えば済む。それほどの分かりやすさである。先に本編を読まれた方ならもう、ロードレースの複雑なルールや戦術がすっかり分かっていることと思われるが、基本的なことだけ、改めてここで解説しておこう。

最も基本的なことにして最も知られていないことがある。それは、サイクルロードレースとは団体競技である、ということだ。優勝者として名前が残るのは個人であるにもかかわらず、である。

自転車レースには、一日で決着がつくワンデイレースと、数日間かけて総合順位を決めるステージレースがある。ワンデイレースの方は「よーい、どん」でスタートし、一番早くゴールした者が優勝なのでまだ分かりやすいが、ステージレースはやや複雑だ。

世界最高峰のステージレース、ツール・ド・フランスを例にとる。レース日数は二十一日、総走行距離は三五〇〇㎞前後。つまり、ごくごく大雑把に言えば、一〇〇～二〇〇㎞のワンデイレースを場所を変えて三週間続けるということになる（途中、個人タイムトライアルなどのイレギュラーなステージもあるが、ややこしくなるのでここでは省く）。そして日々のステージ優勝者や各賞を決めるのとは別に、積算タイムで総合順位を出す。だから初日のステージに優勝しても翌日失速しては何もならない。言い換えれば、二十一日間で一度もステージ優勝しなくても、常に上位にいれば総合優勝することも可能なのである。

そこで、サイクルロードレースが団体競技だという話に戻る。ツール・ド・フランスには、一チーム六～九人でエントリーする。その中のひとりがエース、他はアシストという役割になる。チームが目指すのは、エースの総合優勝だ。

エースにいいタイムを出させるため、アシストは補佐役に徹する。これがロードレースの特異にして最大の特徴である。

作中にも何度も出て来るが、隊列を組んで誰かの後ろを走ると体力が温存出来る。

のみならず、自分の力以上のスピードで走れることもある。アシストは体力の消耗を承知でエースの風よけになるため、前を走る。

また、集団から飛び出して他のチームを攪乱《かくらん》したり、逆に飛び出したレーサーを追いかけて彼らのスピードをセーブしたり（飛び出した小集団の中でも風よけの為に交互に先頭交代をするので、先頭を走れば全体のスピードをコントロールすることができる）するのもアシストの仕事だ。他にも、サポートカーから補給食やドリンクを受け取ってエースに届けたりという仕事もある。エースのマシンがパンクしたら、なんと自分のホイールを代わりに差し出したりもする。

もちろん、コースの得意不得意やその日のレース状況によって、アシストの選手がステージ優勝を飾ることも多い。それでも、最終的にはエースが総合優勝するように積算タイムを計算し、各チームが毎日戦略を練ってくるのだ。ロードレースが頭脳戦と呼ばれる所以《ゆえん》である。

本書では「ツール・ド・ジャポン」というのが、このステージレースだ。エース石尾に勝たせるために、白石を始めとするアシストがどのように行動し、どんな駆け引きをするのか。その戦術が大きな読みどころである。

ロードレースが団体競技だというのはご理解戴けたと思うが、それにしてもアシストというのは不思議なシステムだ。レースに参戦するにもかかわらず自分の勝利は求めない、たとえ自分の順位はさげても、よしんばリタイアすることになっても、エースの勝利のために尽力する。犠牲（サクリファイス）こそが使命だなんて、こんなスポーツ、他にはちょっと見当たらない。なんともサムライな役割ではないか。

そしてまた、そんなアシストたちの犠牲の上に立つエースというものの、責任と孤独にも触れておきたい。アシストたちの犠牲を無駄にしない唯一《ゆいいつ》の方法、それはエースが優勝することだ。本書の中でエース石尾のこんな言葉がある。

「俺たちはひとりで走っているんじゃないんだぞ。（中略）非情にアシストを使い捨て、彼らの思いや勝利への夢を喰らいながら、俺たちは走っているんだ」

そんなエースのために走る白石は、捨て駒《ごま》であることが自分の仕事だと感じている。そしてそういう仕事が「好きなんだ……なんか、こう、かえって自由な気がする」と笑う。

本書はそんなエースと、そんなアシストたちの物語である。

競技の醍醐味《だいごみ》、選手の息づかい、駆け引き、レースの行方。アスリートとしてのプライド、チーム内の軋轢《あつれき》、嫉妬《しっと》と挫折《ざせつ》、そして切ないロマンス。事件の真相とともに、そんな人間ドラマが読者に届けられる。そのドラマに、どうか存分に驚いていただきたい。そして存分に浸っていただきたい。

と、ここまで書けば、「自転車に興味のない人に受け入れられないのでは」という予想が杞憂《きゆう》だったことはお分かり戴けるだろう。それは本屋大賞二位、大藪《おおやぶ》春彦賞受賞といった世間的評価からでも明らかだが、それ以上にはっきりした証拠がある。私の周囲に、「この本を読んで、ロードレーサーを買った」「この本を読んで、レースを見に行った」という人が何人も出現したのだ。知らない人が読めば競技の魅力に驚き、知っている人が読めばその臨場感に驚く。自転車好きを喜ばせた本書は、自転車に興味のない人までをも取り込み、自転車ファンにしてしまうほどの力を持っていたのである。

そして四つ目の裏切り。

本書の外伝「プロトンの中の孤独」（石尾と赤城の物語だ）が掲載された『Story Seller』〇八年春号の著者コメントを読んでひっくり返った。

「ロードレースをリアル観戦したこともなく、ロードバイクにも乗ったことありません」

……ないのかよ！　経験ないのに、ここまでレーサーの気持ちを汲《く》んで、ここまでリアルな躍動感溢《あふ》れるレース小説を書いたのかよ！　近藤さんのマシン磨きますとまで思ったのに！

ひっくり返って、そして笑いが止まらなくなった。考えてみれば近藤史恵はミステリ作家なのである。人殺しの小説を売るほど書いてはいるが、殺人の経験があるわけないものなあ（多分）。やられた。作家という人種は、すごいものだ。

なお、その後、著者は初めてツール・ド・フランスの生観戦に出かけたとのこと。が、離れた場所でアイスキャンディを食べながら音だけ聞いていたという……。まったく、どこまでも予想を楽しく裏切ってくれる人だ。間もなく刊行される続編『エデン』にも、きっと極上の裏切りが用意されているに違いない。

（二〇〇九年十一月、書評家）

この作品は二〇〇七年八月新潮社より刊行された。

綾辻行人著

霧越邸殺人事件

密室と化した豪奢な洋館。謎めいた住人たち。一人、また一人…不可思議な状況で起る連続殺人！　驚愕の結末が絶賛を浴びた超話題作。

有栖川有栖著

絶叫城殺人事件

「黒鳥亭」「壺中庵」「月宮殿」「雪華楼」「紅雨荘」「絶叫城」――底知れぬ恐怖を孕んで闇に聳える六つの館に火村とアリスが挑む。

阿川佐和子著

スープ・オペラ

一軒家で同居するルイ（35歳・独身）と男性二人。一つ屋根の下で繰り広げられる三つの心とスープの行方は。温かくキュートな物語。

安東能明著

強奪　箱根駅伝

生中継がジャックされた――。ハイテクを駆使して箱根駅伝を狙った、空前絶後の大犯罪。一気読み間違いなし傑作サスペンス巨編。

荻原浩著

コールドゲーム

あいつが帰ってきた。復讐のために――。4年前の中2時代、イジメの標的だったトロ吉。クラスメートが一人また一人と襲われていく。

荻原浩著

噂

女子高生の口コミを利用した、香水の販売戦略のはずだった。だが、流された噂が現実となり、足首のない少女の遺体が発見された――。

大槻ケンヂ著　リンダリンダラバーソール

バンドブームが日本の音楽を変え、冴えない大学生だった僕の人生を変えた——。大槻ケンヂと愛すべきロック野郎たちの青春群像。

小川洋子著　博士の愛した数式
本屋大賞・読売文学賞受賞

80分しか記憶が続かない数学者と、家政婦とその息子——第1回本屋大賞に輝く、あまりに切なく暖かい奇跡の物語。待望の文庫化！

恩田陸著　不安な童話

遠い昔、海辺で起きた惨劇。私を襲う他人の記憶は、果たして殺された彼女のものなのか。知らなければよかった現実、新たな悲劇。

恩田陸著　ライオンハート

17世紀のロンドン、19世紀のシェルブール、20世紀のパナマ、フロリダ……。時空を越えて邂逅する男と女。異色のラブストーリー。

梶尾真治著　穂足のチカラ

うちの孫は救世主なのか？　崩壊寸前の一家を変えた奇跡が、やがて周囲にも広がって……。不思議な力で成長していく家族の物語。

川上弘美著　センセイの鞄
谷崎潤一郎賞受賞

独り暮らしのツキコさんと年の離れたセンセイの、あわあわと、色濃く流れる日々。あらゆる世代の共感を呼んだ川上文学の代表作。

角田光代著
おやすみ、こわい夢を見ないように

もう、あいつは、いなくなれ……。いじめ、不倫、逆恨み。理不尽な仕打ちに心を壊された人々。残酷な「いま」を刻んだ7つのドラマ。

金城一紀著
対話篇

本当に愛する人ができたら、絶対にその人の手を離してはいけない――。対話を通して見出されてゆく真実の言葉の数々を描く中編集。

北村薫著
リセット

昭和二十年、神戸。ひかれあう16歳の真澄と修一は、再会翌日無情な運命に引き裂かれる。巡り合う二つの《時》。想いは時を超えるのか。

桐野夏生著
残虐記
柴田錬三郎賞受賞

自分は二十五年前の少女誘拐監禁事件の被害者だという手記を残し、作家が消えた。折り重なった虚実と強烈な欲望を描き切った傑作。

北森鴻著
凶笑面
―蓮丈那智フィールドファイルⅠ―

封じられた怨念は、新たな血を求め甦る――。異端の民俗学者・蓮丈那智の赴く所、怪奇な事件が起こる。本邦初、民俗学ミステリー。

北森鴻著
触身仏
―蓮丈那智フィールドファイルⅡ―

美貌の民俗学者が、即身仏の調査に赴いた村で、いにしえの悲劇の封印をほどき、現代の失踪事件を解決する。本格民俗学ミステリ。

小池真理子著　無伴奏

愛した人には思いがけない秘密があった――。一途すぎる想いが引き寄せた悲劇を描き、『恋』『欲望』への原点ともなった本格恋愛小説。

今野敏著　リオ
―警視庁強行犯係・樋口顕―

捜査本部は間違っている！　火曜日の連続殺人を捜査する樋口警部補。彼の直感がそう告げた。刑事たちの真実を描く本格警察小説。

今野敏著　武打星

武打星＝アクションスター。ブルース・リーに憧れ、新たな武打星を目指して香港に渡った青年を描く、痛快エンタテインメント！

佐々木譲著　制服捜査

十三年前、夏祭の夜に起きてしまった少女失踪事件。新任の駐在警官は封印された禁忌に迫ってゆく――。絶賛を浴びた警察小説集。

佐藤多佳子著　黄色い目の魚

奇跡のように、運命のように、俺たちは出会った。もどかしくて切ない十六歳という季節を生きてゆく悟とみのり。海辺の高校の物語。

西原理恵子著　パーマネント野ばら

恋をすればええやんか。どんな恋でもないよりましやん。俗っぽくてだめだめな恋に宿る、可愛くて神聖なきらきらを描いた感動作！

三浦しをん著 **秘密の花園**

それぞれに「秘めごと」を抱える三人の女子高生。「私」が求めたことは——痛みを知ってなお輝く強靭な魂を描く、記念碑的青春小説。

志水辰夫著 **青に候**

やむをえぬ事情から家中の者を斬り、秘密裡に江戸へ戻った、若侍。胸を高鳴らせる情熱、身体を震わせる円熟、著者の新たな代表作。

真保裕一著 **ホワイトアウト**
吉川英治文学新人賞受賞

吹雪が荒れ狂う厳寒期の巨大ダムを、武装グループが占拠した。敢然と立ち向かう孤独なヒーロー！ 冒険サスペンス小説の最高峰。

重松　清著 **エイジ**
山本周五郎賞受賞

14歳、中学生——ぼくは「少年A」とどこまで「同じ」で「違う」んだろう。揺れる思いを抱き成長する少年エイジのリアルな日常。

重松　清著 **卒業**

大切な人を失う悲しみ、生きることの過酷さ。それでも僕らは立ち止まらない。それぞれの「卒業」を経験する、四つの家族の物語。

重松　清著 **きみの友だち**

僕らはいつも探してる、「友だち」のほんとうの意味——。優等生にひねた奴、弱虫や八方美人。それぞれの物語が織りなす連作長編。

瀬名秀明著

パラサイト・イヴ

死後の人間の臓器から誕生した、新生命体の恐怖。圧倒的迫力で世紀末を震撼させた、超弩級バイオ・ホラー小説、新装版で堂々刊行。

瀬尾まいこ著

天国はまだ遠く

死ぬつもりで旅立った23歳のOL千鶴は、山奥の民宿で心身ともに癒されていく……。いま注目の新鋭が贈る、心洗われる清爽な物語。

髙村薫著

リヴィエラを撃て（上・下）

日本推理作家協会賞／日本冒険小説協会大賞受賞

元IRAの青年はなぜ東京で殺されたのか？白髪の東洋人スパイ《リヴィエラ》とは何者か？　日本が生んだ国際諜報小説の最高傑作。

竹内真著

自転車少年記

―あの風の中へ―

僕らは、夢に向けて、ひたすらペダルを漕ぎ続ける。長距離を走破する自転車ラリーを創った。もちろん素敵な恋もした。爽快長篇！

阿川佐和子・角田光代
沢村凜・柴田よしき
谷村志穂・乃南アサ著
松尾由美・三浦しをん

最後の恋

―つまり、自分史上最高の恋。―

8人の女性作家が繰り広げる「最後の恋」をテーマにした競演。経験してきたすべての恋を肯定したくなるような珠玉のアンソロジー。

阿川佐和子・井上荒野
大島真寿美・島本理生
乃南アサ・村山由佳著
森絵都

最後の恋 プレミアム

―つまり、自分史上最高の恋。―

これで、最後。そう切に願っても、恋の行く末は選べない。7人の作家が「最高の恋」の終わりとその先を描く、極上のアンソロジー。

天童荒太著　幻世《まぼろよ》の祈《いの》り
家族狩り　第一部

高校教師・巣藤浚介、馬見原光毅警部補、児童心理に携わる氷崎游子。三つの生が交錯したとき、哀しき惨劇に続く階段が姿を現わす。

天童荒太著　孤独の歌声
日本推理サスペンス大賞優秀作

さぁ、さぁ、よく見て。ぼくは、次に、どこを刺すと思う？　孤独を抱える男と女のせつない愛と暴力が渦巻く戦慄のサイコホラー。

舞城王太郎著　スクールアタック・シンドローム

学校襲撃事件から、暴力の伝染が始まった。俺の周りにもその波はおし寄せて。書下ろし問題作を併録したダーク＆ポップな作品集！

貫井徳郎著　迷宮遡行

妻が、置き手紙を残し失踪した。かすかな手がかりをつなぎ合わせ、迫水は行方を追う。サスペンスに満ちた本格ミステリーの興奮。

乃南アサ著　鎖（上・下）

占い師夫婦殺害の裏に潜む現金奪取の巧妙な罠。その捜査中に音道貴子刑事が突然、犯人らに拉致された！　傑作『凍える牙』の続編。

帚木蓬生著　閉鎖病棟
山本周五郎賞受賞

精神科病棟で発生した殺人事件。隠されたその動機とは。優しさに溢れた感動の結末――。現役精神科医が描く、病院内部の人間模様。

新潮文庫最新刊

佐伯泰英著

転び者

新・古着屋総兵衛　第六巻

伊勢から京を目指す総兵衛は、一行を付け狙う薩摩の刺客に加え、忍び崩れの山賊の盤踞する危険な伊賀加太峠越えの道程を選んだ。

乃南アサ著

禁猟区

犯罪を犯した警官を捜査・検挙する組織——警務部人事一課調査二係。女性監察官沼尻いくみの胸のすく活躍を描く傑作警察小説四編。

川上弘美著

パスタマシーンの幽霊

恋する女の準備は様々。丈夫な奥歯に、煎餅の空き箱、不実な男の誘いに喜ばぬ強い心。女たちを振り回す恋の不思議を慈しむ22篇。

小池真理子著

Kiss

昼から全身がとろけそうなくちづけ、人生でもっとも幸福なくちづけ。くちづけが織りなす大人の男女の営みを描く九つの恋愛小説。

安東能明著

撃てない警官

日本推理作家協会賞短編部門受賞

部下の拳銃自殺が全ての始まりだった。警視庁管理部門でエリート街道を歩んでいた若き警部は、左遷先の所轄署で捜査の現場に立つ。

前田司郎著

夏の水の半魚人

三島由紀夫賞受賞

小学校5年生の魚彦が、臨死の森で偶然知った転校生・海子の秘密。夏の暑さに淀む五反田で、子どもたちの神話がつむがれていく。

サクリファイス

新潮文庫　こ－49－1

平成二十二年二月一日発行
平成二十五年五月三十日八刷

著者　近《こん》藤《どう》史《ふみ》恵《え》
発行者　佐藤隆信
発行所　株式会社新潮社

郵便番号　一六二―八七一一
東京都新宿区矢来町七一
電話　編集部(〇三)三二六六―五四四〇
読者係(〇三)三二六六―五一一一
http://www.shinchosha.co.jp

価格はカバーに表示してあります。

乱丁・落丁本は、ご面倒ですが小社読者係宛ご送付ください。送料小社負担にてお取替えいたします。

印刷・二光印刷株式会社　製本・株式会社植木製本所

ISBN978-4-10-131261-3 C0193